ビジネスパーソンのための
Goodnotes
使いこなしブック

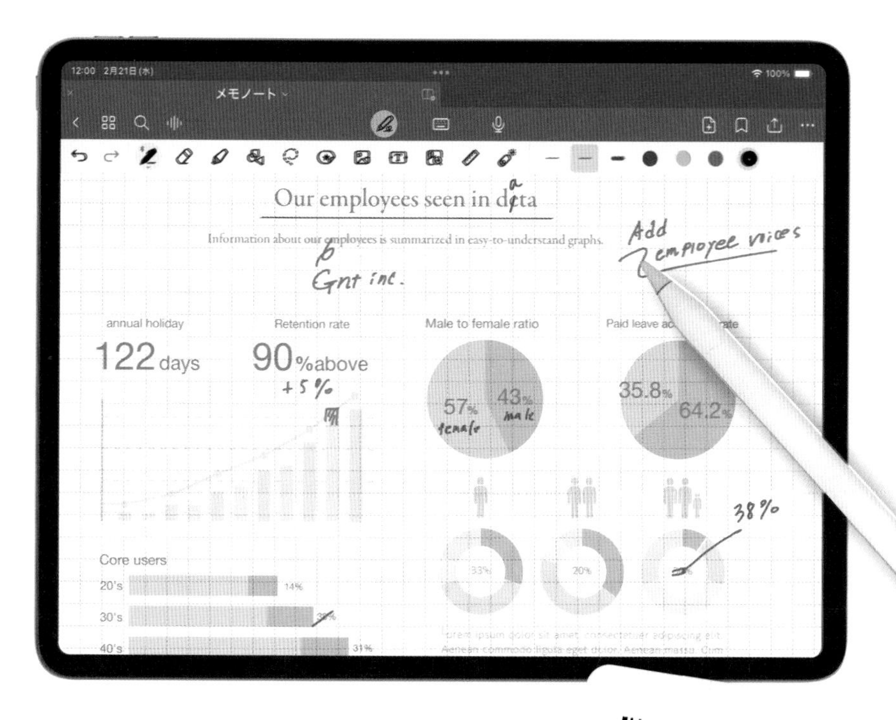

Goodnotesを ビジネスに生かそう

本書の特徴

1. YouTubeや書籍で人気の、**Goodnotesマスターのテクニック**が満載！
2. **ビジネスシーンで役立つGoodnotesの使い方**を解説！
3. 『Goodnotes6』に対応！ **基本の操作**から**最新の機能**まで紹介！

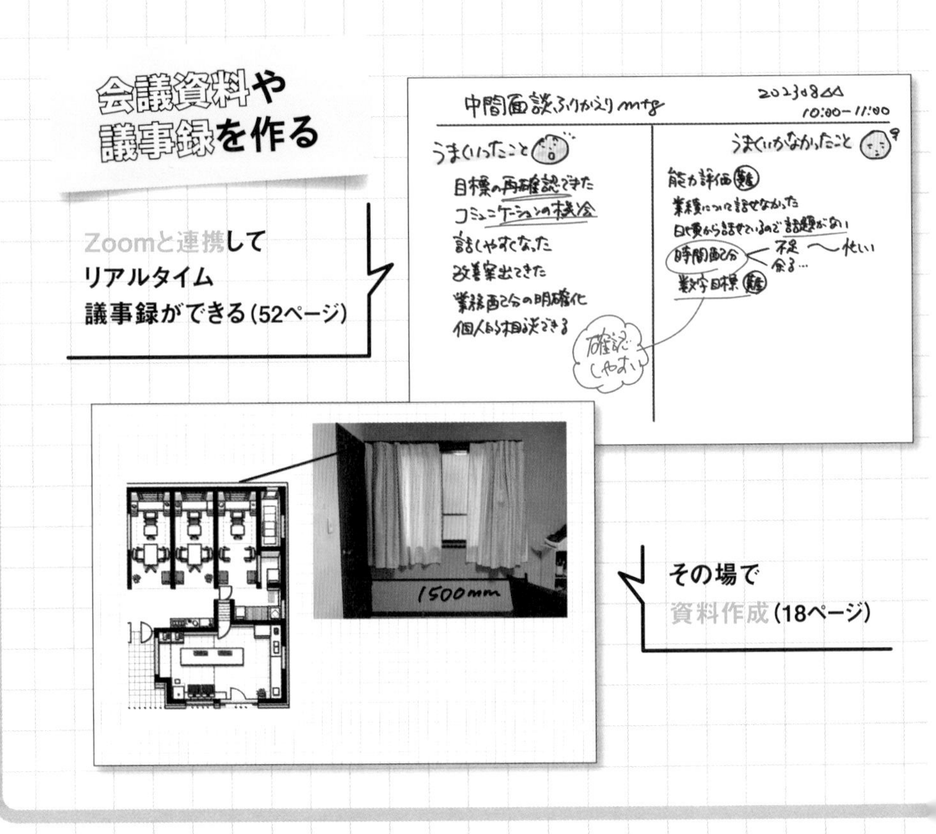

自己分析や振り返りのフレームワーク

自己PRに使える自己分析(48ページ)

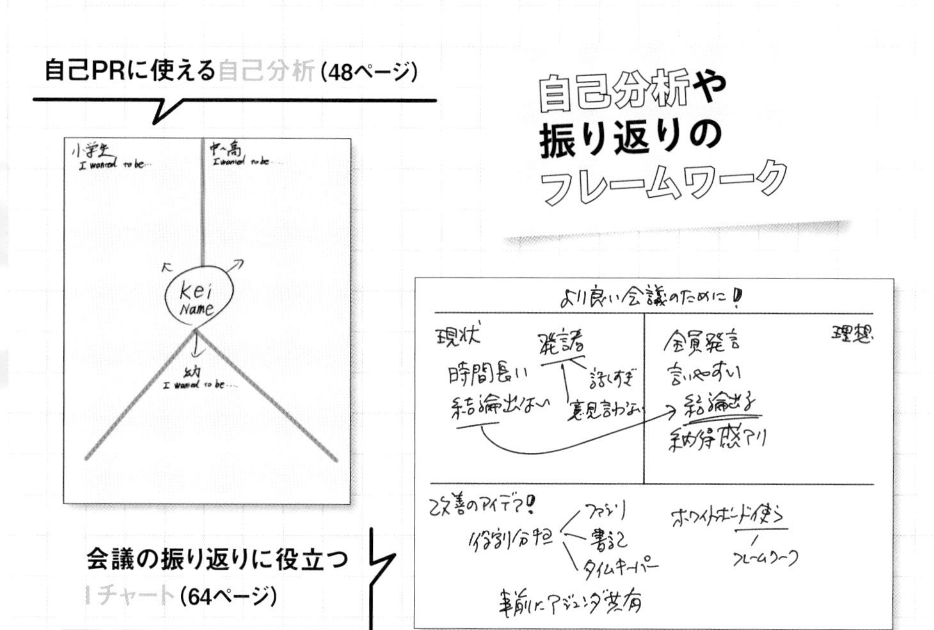

会議の振り返りに役立つ
Tチャート(64ページ)

デイリーの時間管理やタスクの明確化

一日のタイムスケジュールを
管理する(44ページ)

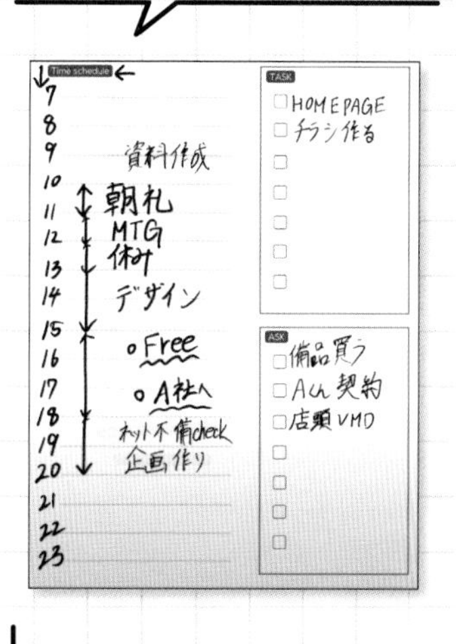

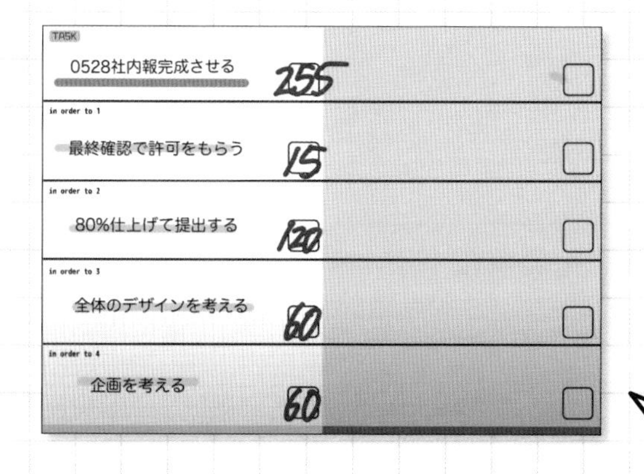

業務棚卸しや
タスク管理をする(40ページ)

効率的に勉強ができる

参考書をPDFで取り込み
自分だけの参考書にする(38ページ)

復習のタイミングを
管理できる(24ページ)

15. Mr. Garcia's ------- for updating the current inventory control system will be reviewed at the next board meeting.
(A) recommend
(B) recommending
(C) recommendation
(D) recommendable

16. Department managers are required to ensure all the staff members they supervise have a ------- understanding of the company mission.
(A) clear
(B) clearly
(C) clarity
(D) clears

17. Yearly utility costs for the new energy efficient headquarters will be about 50% lower than those of ------- designed buildings.
(A) conventionally
(B) convention
(C) conventions
(D) conventional

1X 18. New and transferred employees must become ------- with company policies and procedures in order to perform their jobs safely and efficiently.
(A) familiar
(B) familiarize
(C) familiarizing
(D) familiarization

1X 19. Dream Painting Ltd. is a painting contractor with a solid reputation for ------- completing projects by tight deadlines.
(A) success
(B) successful
(C) successfully
(D) succeed

ペーパーレスで校正したり英文の添削もできる

印刷せずに
Goodnotes上で校正(68ページ)

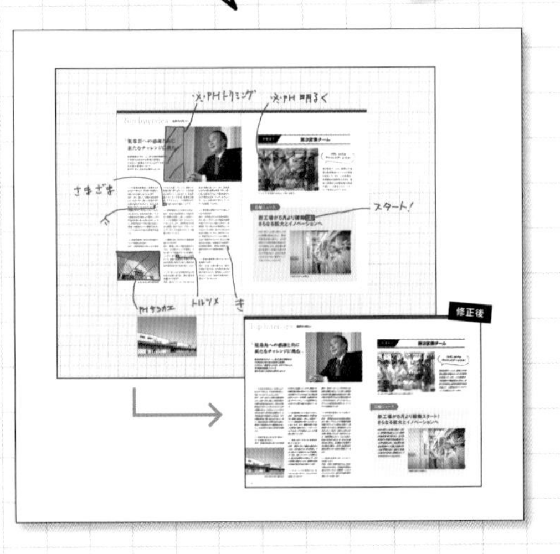

ChatGTPと連携して
英文添削(28ページ)

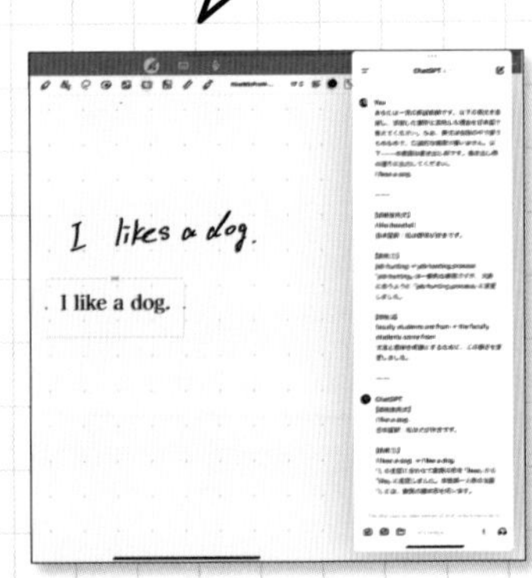

※本書の情報は、2024年2月29日時点のものです。
※タブレットの種類やサイズ、またアプリのアップデートによって機能の一部が変更になっていたり、画面の見え方が異なることがあります。あらかじめご了承ください。

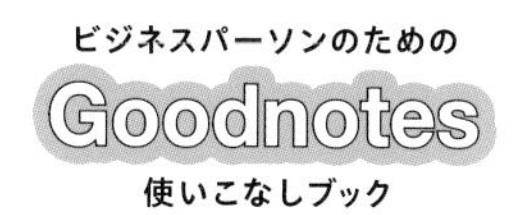
ビジネスパーソンのための
Goodnotes
使いこなしブック

Contents

1

わかりやすい資料作りに役立つテクニック

iPad Worker
五藤晴菜さん

Technique 01

ページにインデックスを付けて見やすくする

会議用資料をGoodnotesで作る場合、ページ数が多いと、どのページがどんな内容なのかすぐにわからず、探すのが大変になることがあります。ページの途中にインデックスページを作ると、あとでサムネイル表示をしたときに、どこで区切れるかわかりやすくなります。ここでは、テキストツールを応用して作る方法と、用紙テンプレートを変更する方法を紹介します。

テキストツールを応用する

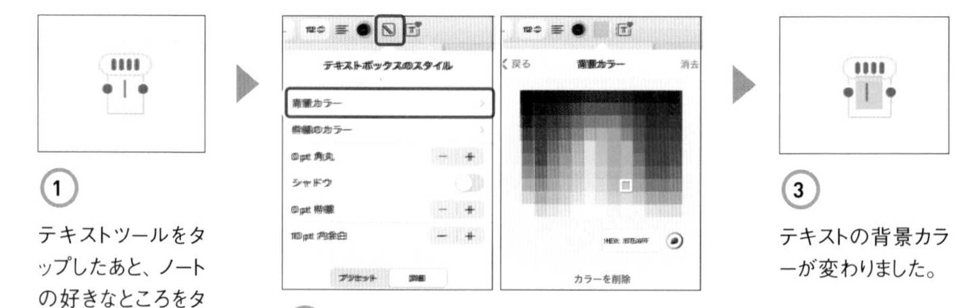

① テキストツールをタップしたあと、ノートの好きなところをタップし、テキストボックスを出します。

② お好きな背景カラーを選択します。

③ テキストの背景カラーが変わりました。

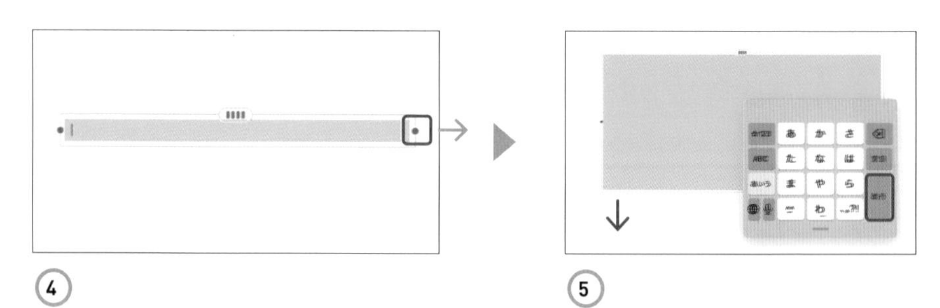

④ 指でテキストボックスの左右にある丸に触れ、広げます。

⑤ 縦に広げる場合は、キーボードキーのENTERを押して改行します。ページ全体を覆うようにします。

用紙テンプレートを変更する

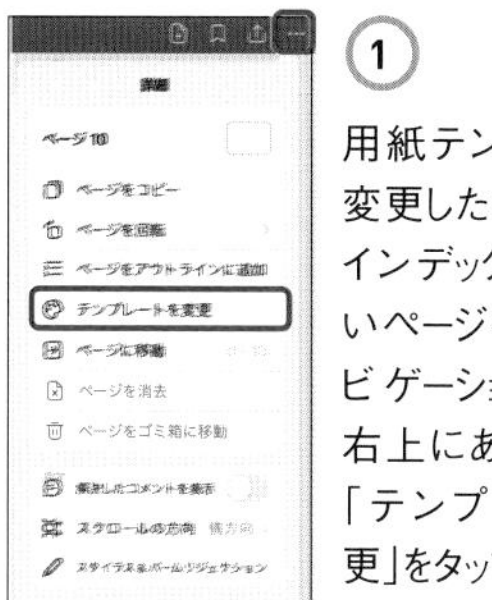

1

用紙テンプレートを変更したい場合は、インデックスにしたいページを開き、ナビ ゲーション バーの右上にある「…」→「テンプレートを変更」をタップします。

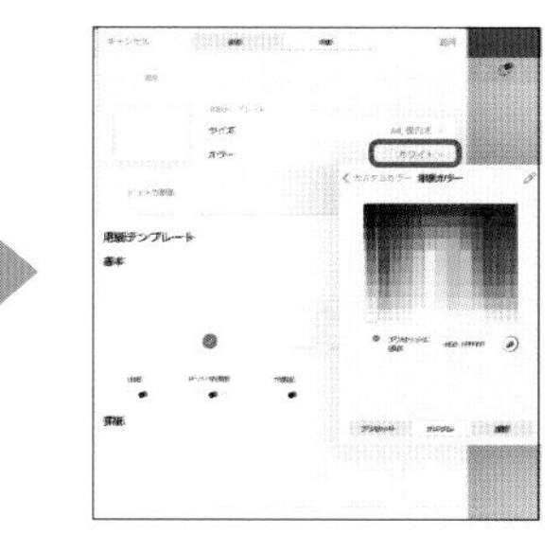

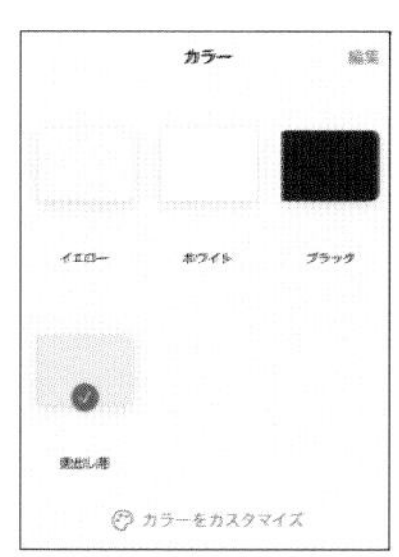

2 プリセットされている色以外に、「カラーをカスタマイズ」から好きな色を選ぶこともできます。

3

決まったら、「適用」をタップします。

4

ページ全体の色が変更されます。

5

さらに、管理しやすいように章ごとに数字や日付を書いたり、会社のロゴを入れたりしましょう。

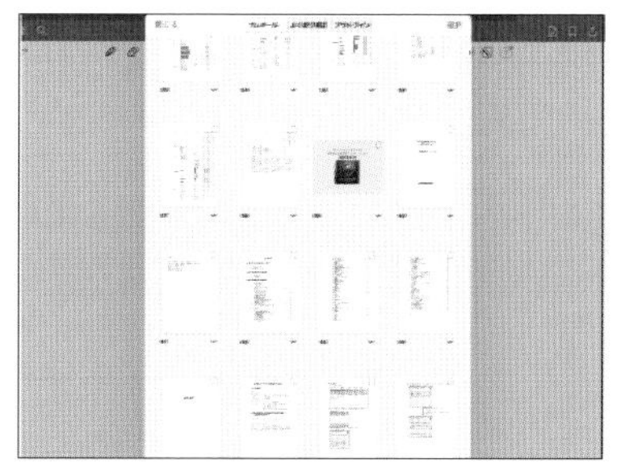

6

サムネイル表示をしたときに、すぐに区切りがわかるので、ページが探しやすくなります。

Technique 02 リンクを貼って別のページへジャンプする

プレゼン資料をGoodnotesで作成する際、サムネイル表示からページを移動するのもよいですが、リンク先を設定して、リンクを貼っておくと、すぐに別のページへ飛ぶことができます。ページ以外にも、Webサイトや、別のノートに直接飛ぶこともできます。

リンクを追加する

1

リンクを追加したい場所に画面を指で長押しをすると、メニューが表示されます。

2

メニューのなかにある「リンクを追加」をタップします。

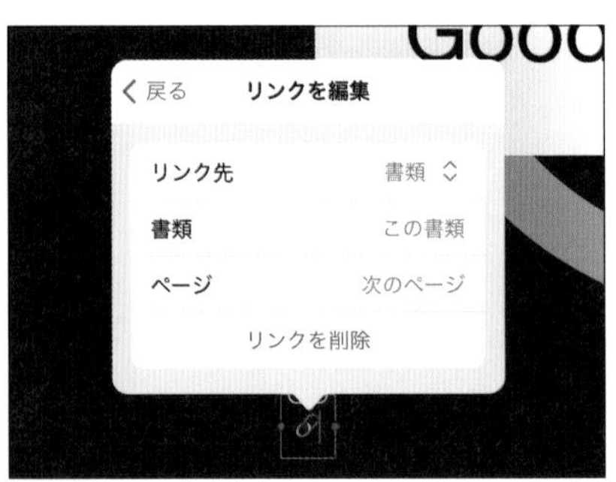

3

「リンク先」はWebサイトか書類かを選ぶことができます。Webサイトの場合はリンクのURLを入力します。書類の場合はGoodnotes内のどの書類かを選びます。また、どのページへ飛ぶかも選べます。

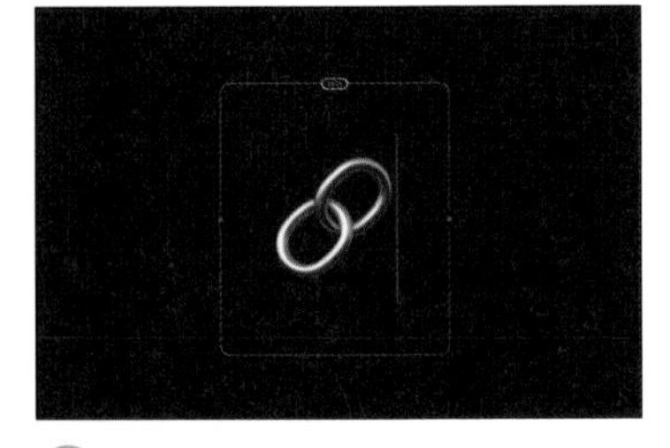

4

リンクを示すアイコンが表示されます。

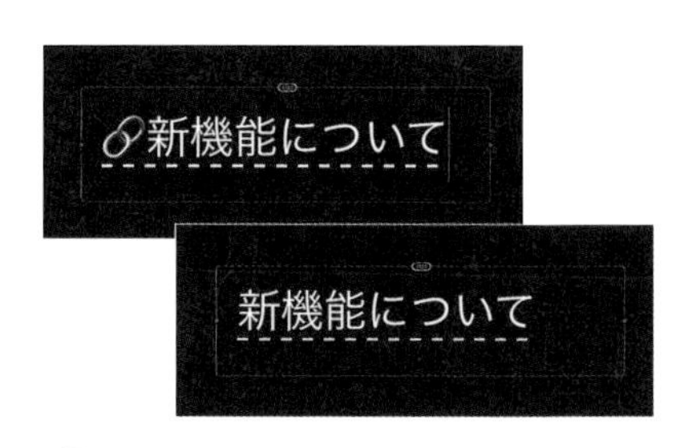

⑤
アイコンの横にテキストを入力することができます。アイコンだけ消すこともできます。

⑥
リンク先の情報を入力すると、わかりやすいでしょう。

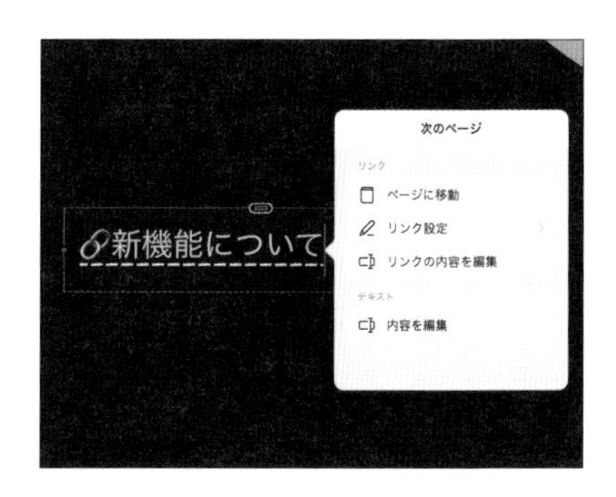

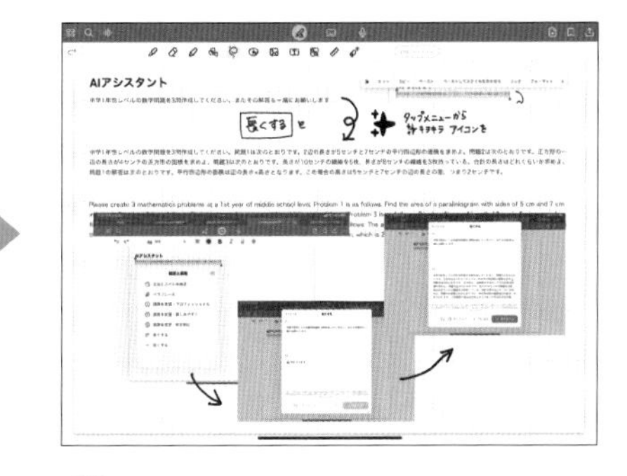

⑦
リンクの設定は後から変更できます。

⑧
リンクをタップし、「ページへ移動」をタップすると、移動できます。

目次へ戻るリンクも貼る

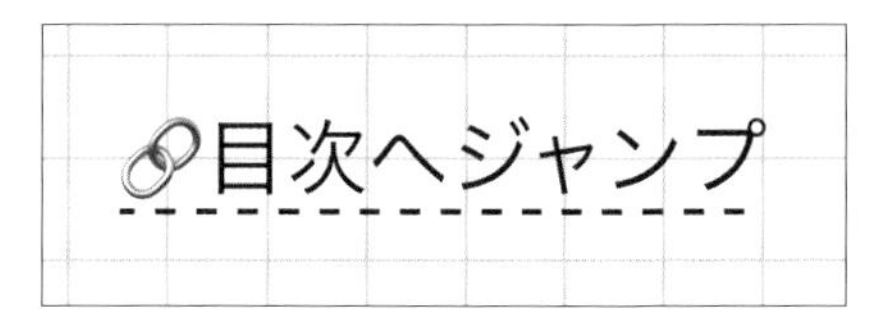

会議資料などの最初のページに目次を作り、各項目にリンクを設定すれば、すぐにページを切り替えることができます。各項目に「目次へジャンプ」など、目次に戻るリンクを貼っておくと、行き来がしやすくなります。

Webサイトへジャンプする

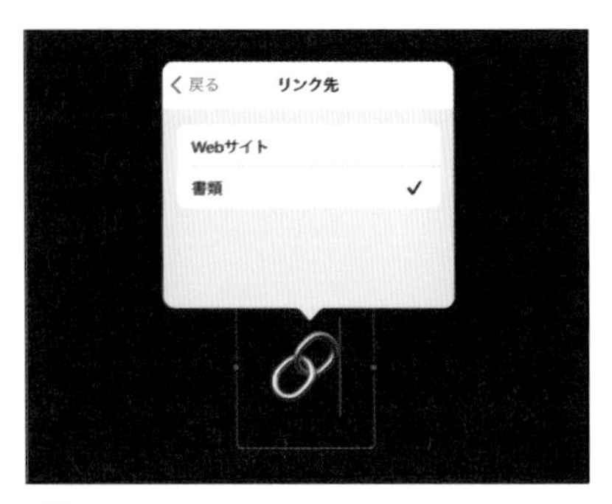

①

Webサイトへ飛ぶように設定するときは、まず画面を長押ししてメニューを表示します。「リンクを追加」をタップし、リンク先に「Webサイト」を選びます。

②

「リンク」にWebサイトのURLを入力します。

③

「リンクの内容を編集」に文字を入力すると、リンクアイコンの横に表示されます。

④

「リンクを開く」をタップします。

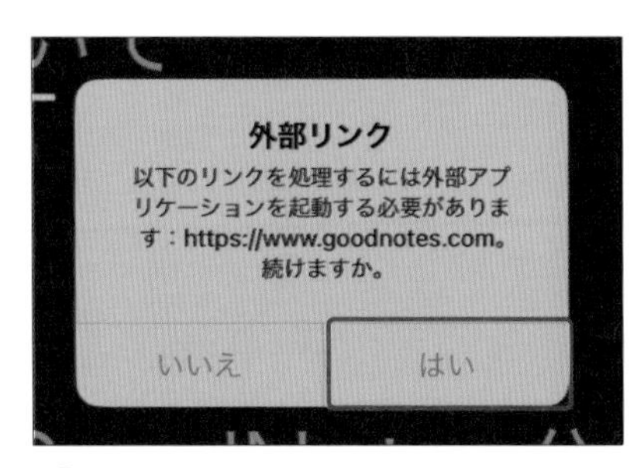

⑤

外部リンクの表示が出ます。「はい」をタップします。

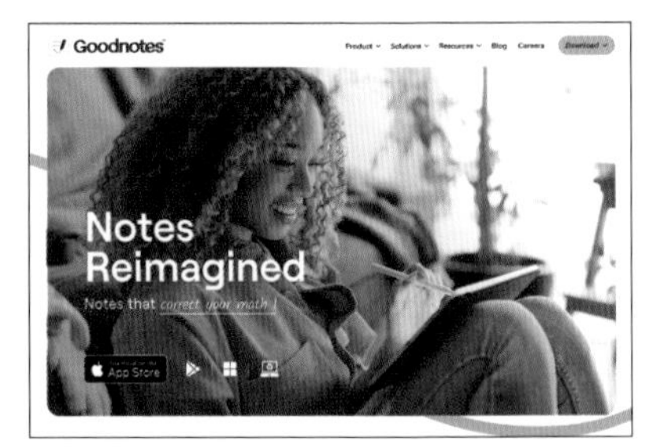

⑥

Webブラウザが起動して、リンク先へ飛びます。

別の書類へジャンプする

①

別の書類(ノートやPDFなど)へ飛ぶように設定するときは、まず画面を長押ししてメニューを表示します。「リンクを追加」から「この書類」をタップします。

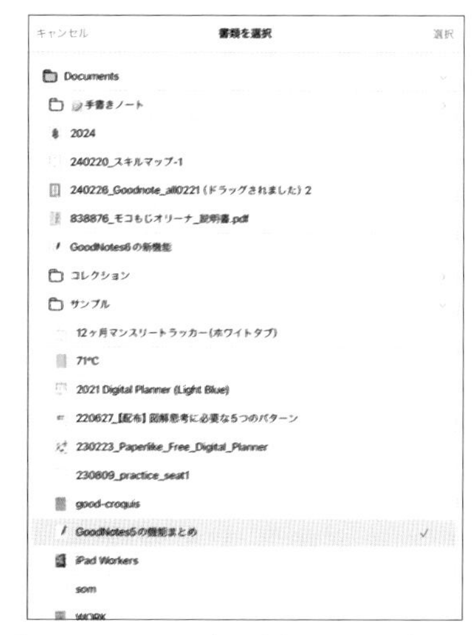

②

Goodnotes内の書類がすべて表示されます。そのなかから1つ選び、「選択」をタップします。

③

何ページに飛ぶかも選べます。

④

ジャンプしたいときはリンクアイコンをタップし、「ページに移動」をタップします。

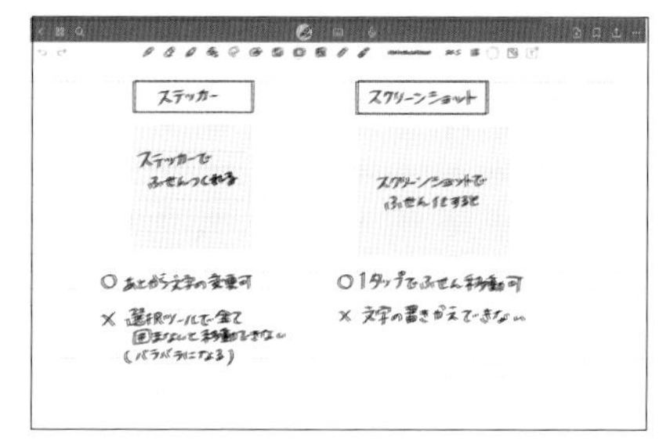

⑤

リンク先へジャンプしました。

Technique 03

付箋ノートを作成する

元々のGoodnotesの機能として、「要素ツール」のなかに、付箋のステッカーがありますが、それだと文字と付箋がバラバラになり、付箋同士を重ねたり、動かしたりする場合に不向きです。テキストツールを使った、付箋ノートの作成方法を紹介します。

付箋ノートの作り方

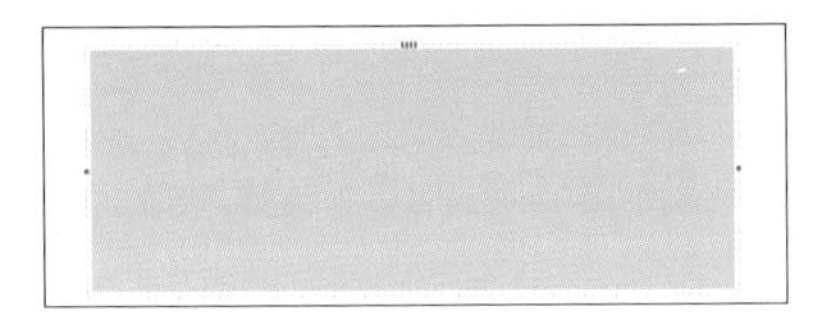

① テキストツールをタップして、テキストボックスを作り、背景カラーを入れます。（8ページ参照）

② テキストボックスの上に、手書きで文字を書きます。

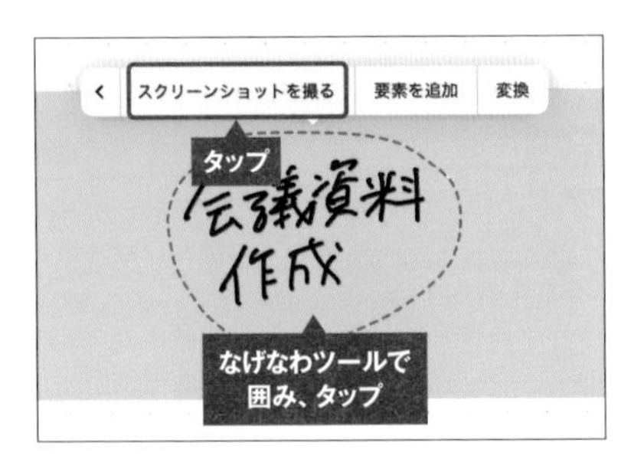

③ テキストボックスと手書きの文字をなげなわツールで囲み、タップします。メニューが表示されたら、「スクリーンショットを撮る」をタップします。

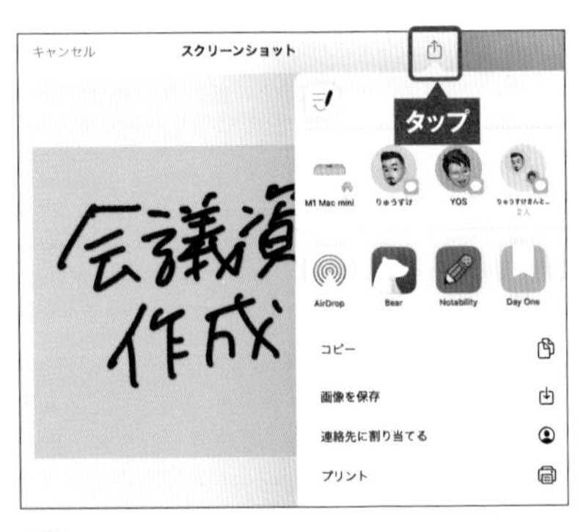

④ 右上の共有アイコンをタップします。メニューが表示されたら、「コピー」または「画像を保存」をします。

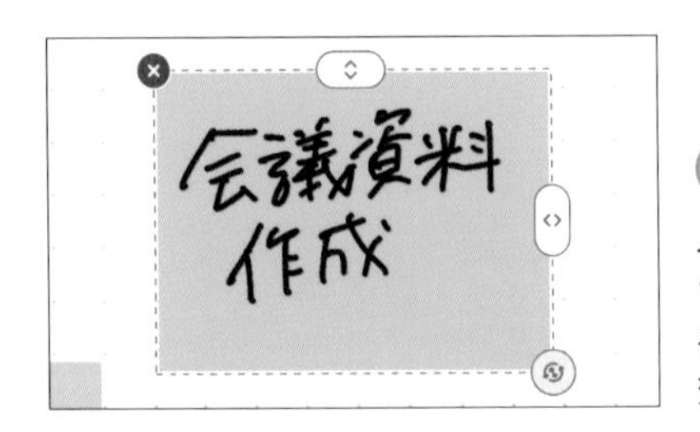

⑤ ノートに貼り付けます。1つの画像になっているので、移動やサイズ変更がラクにできます。

要素ツールの場合

① 付箋のステッカーを使う場合は、「要素ツール」をタップし、「付箋」のカテゴリーをタップします。

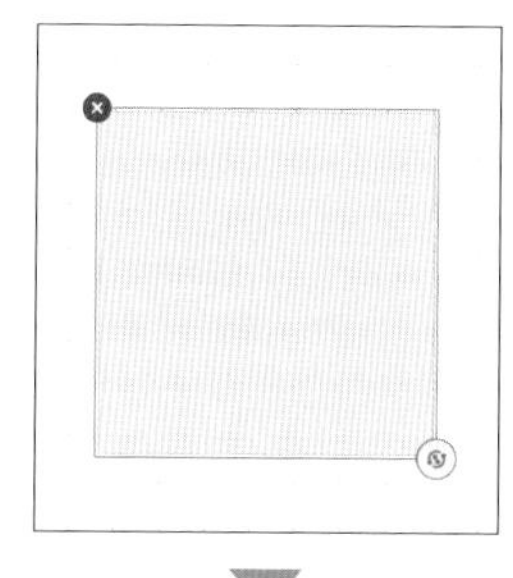

② ノート上にステッカーを貼り付けます。

③ その上に手書きで文字を書きます。

Point 比較すると……

要素ツールで作った場合は、ステッカーと手書きの文字が別々なので、移動しようとしても、両方ともなげなわツールで囲む必要があります。テキストツールで作った場合は、1つの画像になっているので、両方とも囲わなくても、ラクに移動することができます。

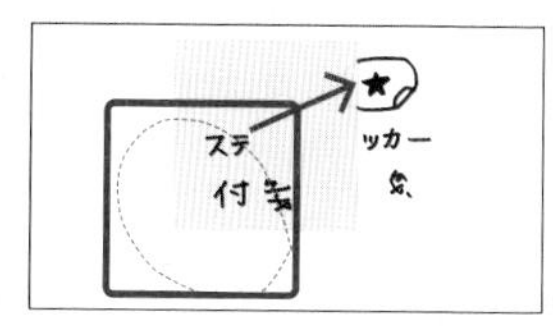

ステッカーと囲んだ文字しか移動できません。

なげなわツール

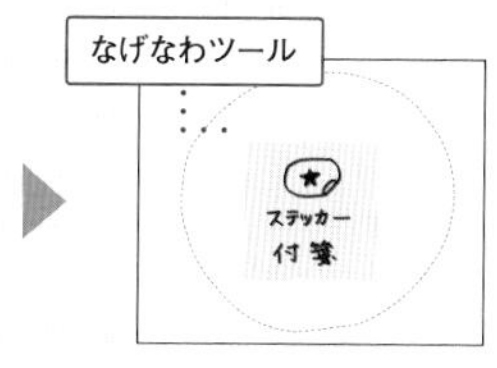

文字も一緒に移動させるには、すべてをなげなわツールで囲まないといけません。

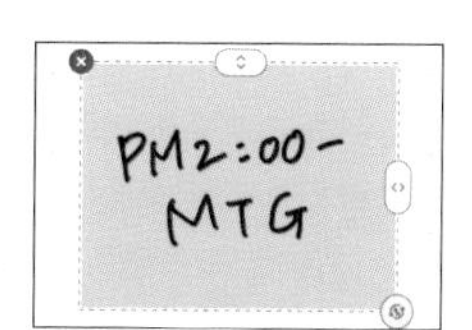

付箋ノートを作れば、文字と付箋がバラバラに動くことはありません。

Technique 04

テンプレートを作って PDFとして読み込む

仕事であれば日報、プライベートであればスケジュール帳といった同じフォーマットのページを何度も使いたい場合は、オリジナルのテンプレートを作って、PDFとして読み込むと便利です。ページを追加するたびに、同じフォーマットが出てくるので、いちいちペーストしなくても済みます。

① テンプレートにしたいページを画面に表示します。

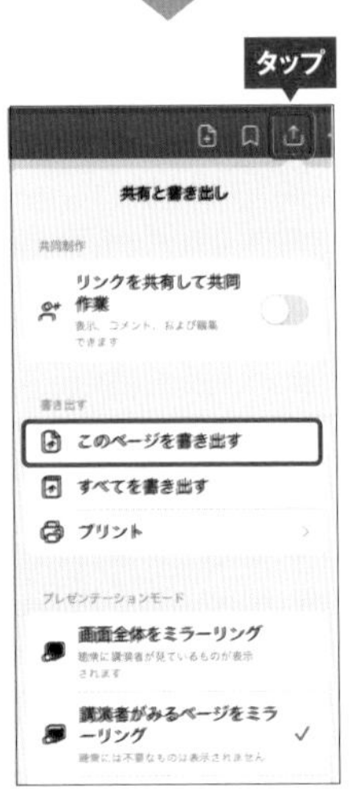

② ナビゲーションバーにある「共有と書き出し」をタップし、「このページを書き出す」をタップします。

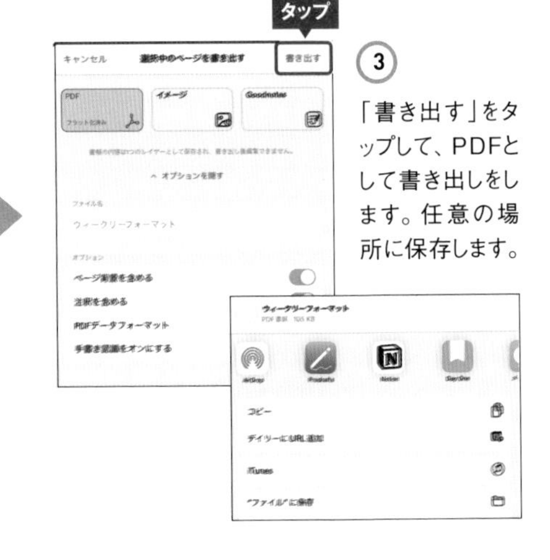

③ 「書き出す」をタップして、PDFとして書き出しをします。任意の場所に保存します。

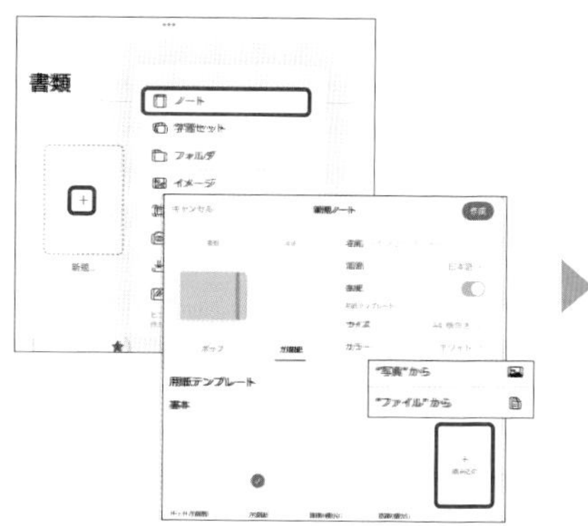

4 書類の画面にある「＋」をタップし、新規ノート作成画面を表示します。用紙テンプレートの項目から「＋読み込む」をタップします。

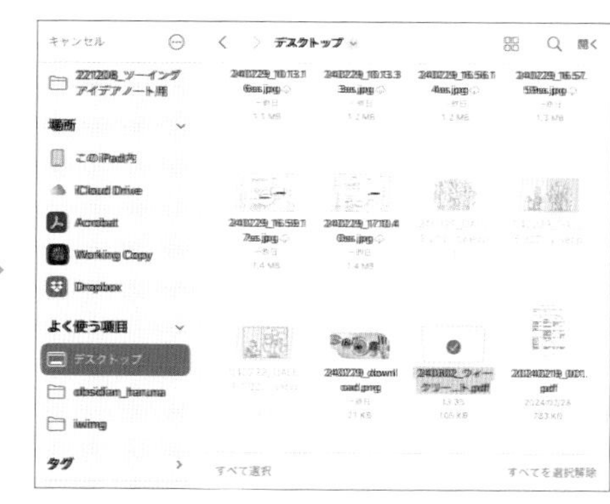

5 保存先から、保存したPDFを選びます。

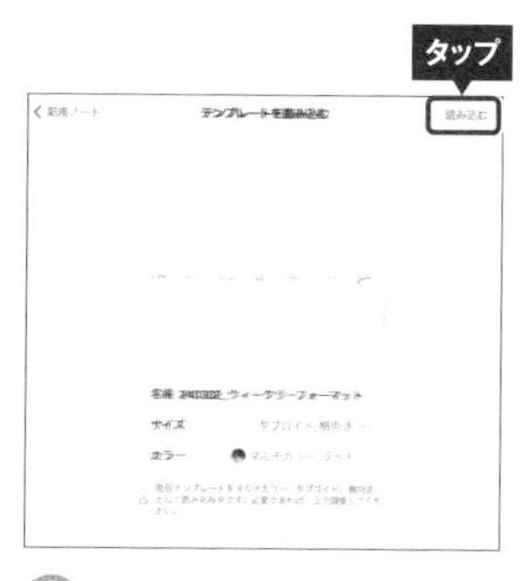

6 「読み込む」をタップすると、テンプレートとして読み込まれます。

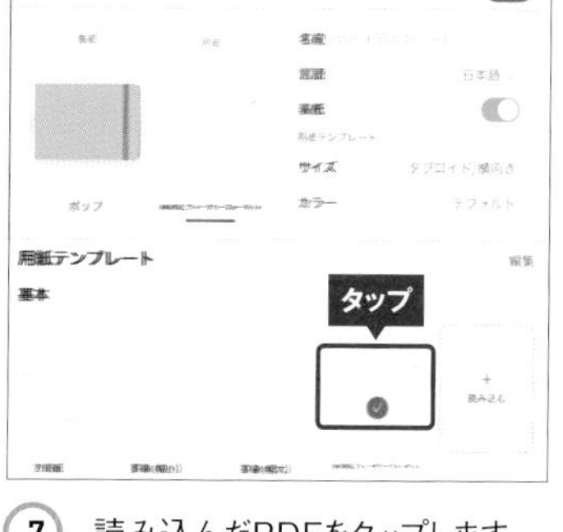

7 読み込んだPDFをタップします。

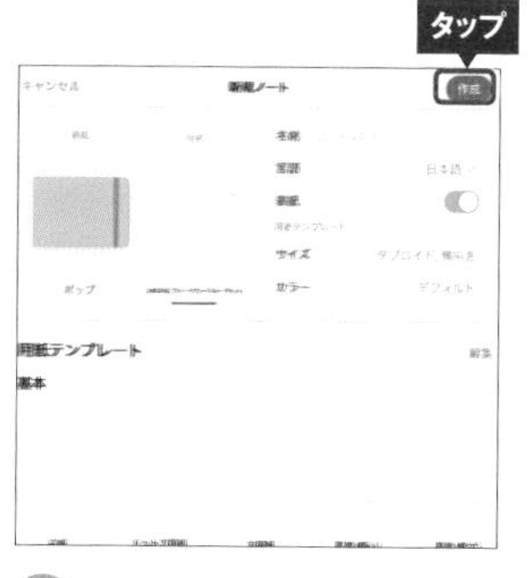

8 「作成」をタップすると、ページが作られます。

9 ページを追加するたびに、テンプレートにしたPDFが出てくるので、何度も使うことができます。

Technique 05
資料作りにおける画像の活用法

iPadなどのタブレットのカメラ機能を活用すると、資料作りをする際によりわかりやすいページが作れるようになります。プレゼン資料、打ち合わせ時のメモなどに活用することができます。

カメラで撮影した写真を貼り付ける

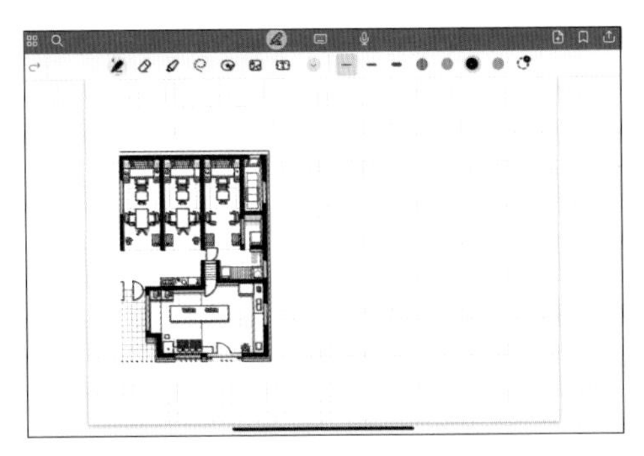

① 例として、不動産の間取りに、現地で得た情報を追加するとします。

② 「カメラ」アイコンをタップすると、iPadのカメラ機能がすぐに立ち上がります。例えば、室内のカーテンを撮影します。

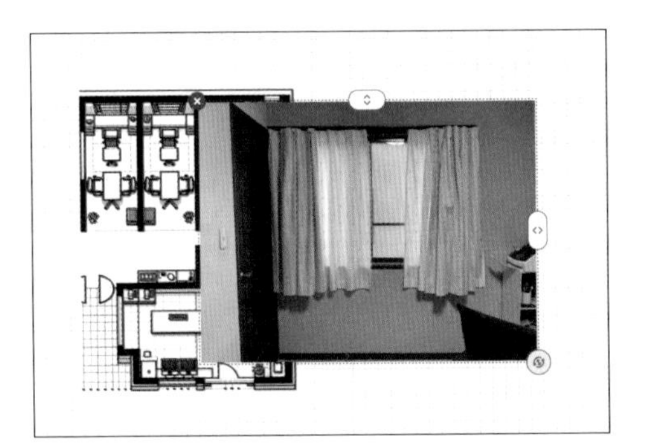

③ ノート上に撮影した写真が挿入されます。

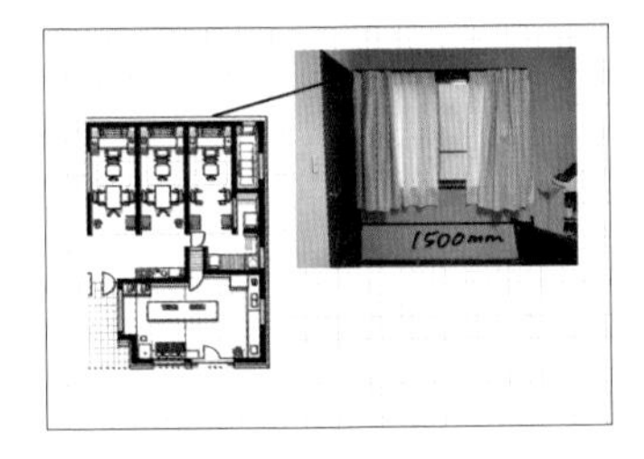

④ 窓枠の長さなど、情報を手書きで追加することで、充実した資料を作ることができます。

被写体を写真の背景から抜き出す

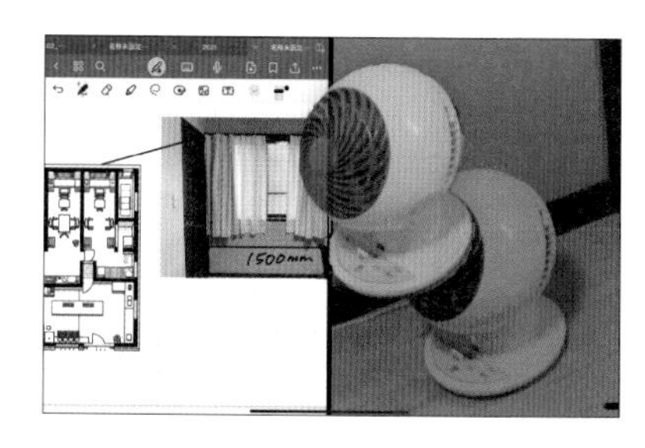

① Apple標準機能を使って写真をきれいに切り抜いて貼り付けることもできます。Split View（106ページ参照）で、2つ目のアプリとして「写真」アプリを開きます。切り抜きをしたい対象を指で長押しします。

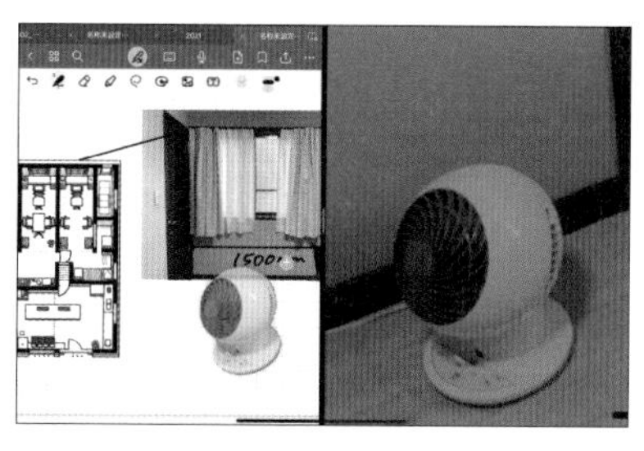

② すると、自動的に写真の背景から被写体が切り抜きされます。そのまま、指を離さずにGoodnotesの画面へ移動します。

③ 指を離すと、切り抜かれた画像が貼り付けられます。

Freehandで切り抜いた場合

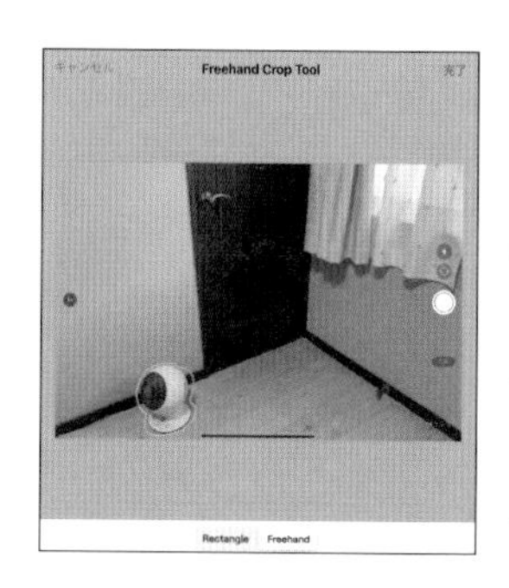

① 写真の切り抜きは、画像をタップし、「トリミング」→「Freehand」（90ページ参照）でも可能です。

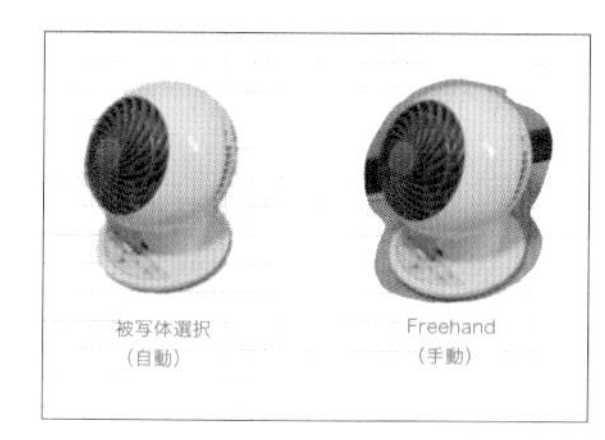

② ただし、手作業で行うと、きれいに切り抜きができない可能性があります。

Webサイトの画像を貼り付ける

1

Split ViewでSafariを開き、ノートに追加したい画像を表示します。

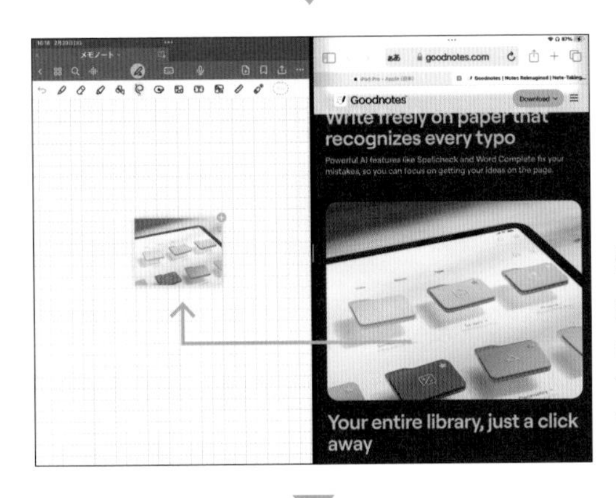

2

画像を長押しすると、画像が半透明になり動かせるようになります。Goodnotesの画面の上へ移動させましょう。

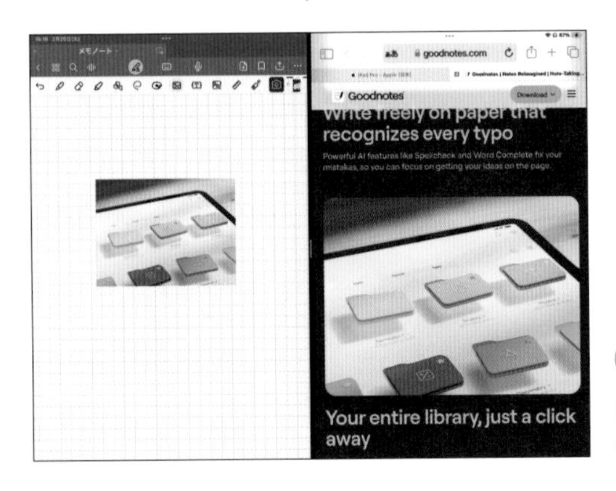

3

指を離すと、ノートに貼り付けられます。

Part 2

社会人のための
時短&タイパ勉強術

YouTube登録者17万人のiPadマスター

YMKさん

Technique 06

動画講義のスライド部分のみを切り取る

オンラインや動画で講義を受けているとスライドをスクリーンショットしたいときがありますよね。そんなときに、一瞬で必要な部分を切り取ることができるショートカットを紹介します。右のQRコードからダウンロードして、AssistiveTouchに登録すれば、タップするだけで、すぐに切り取ることができます。

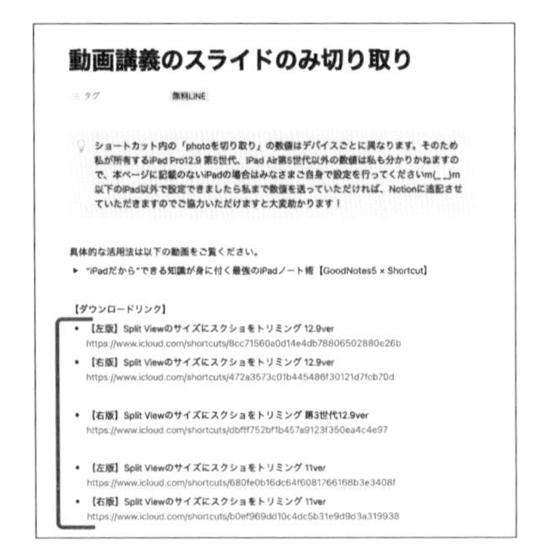

① QRコードを読み込んで、お持ちのiPadの機種に応じたショートカットを選択します。

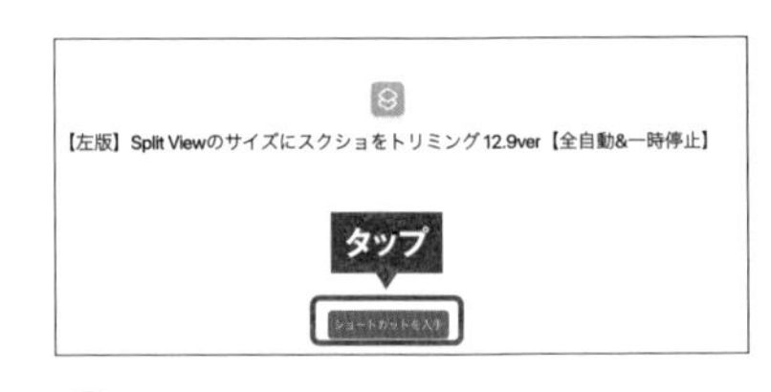

② 「ショートカットを入手」をタップします。

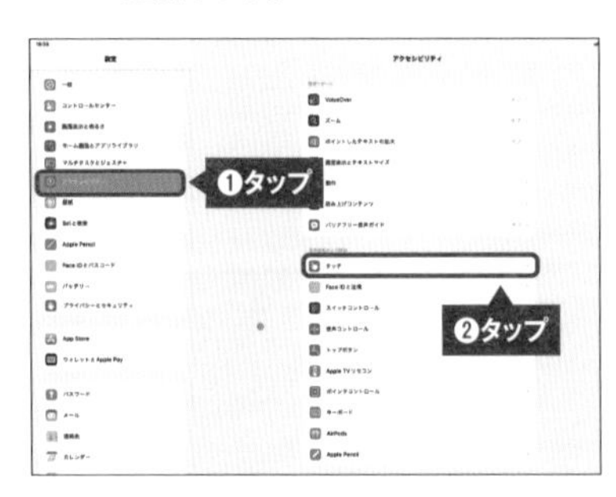

③ 「設定」を開き、「アクセシビリティ」をタップします。そして、「タッチ」をタップします。

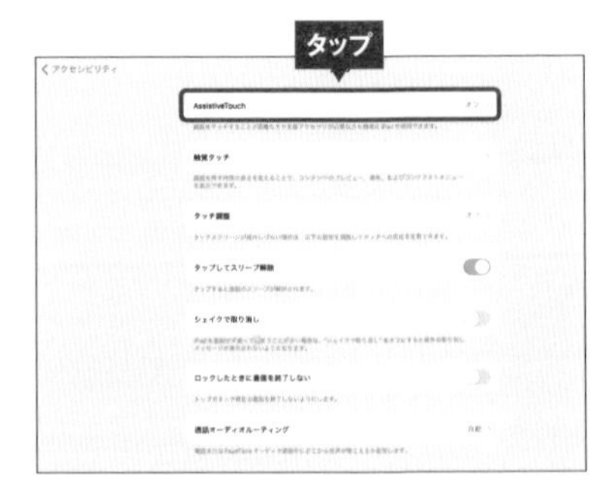

④ 「AssistiveTouch」をタップして、オンにします。

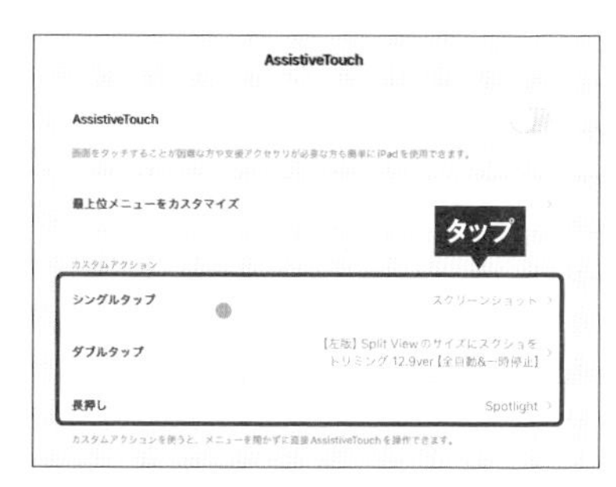

⑤ 「シングルタップ」「ダブルタップ」「長押し」からアクションの種類を選びます。

⑥ 設定したいショートカットをタップして、選択します。

⑦ スクショしたいほうの画面は、全画面表示にしてください。「AssistiveTouch」がオンの状態になっています。スクリーンショットを撮りたい場面で、タップします。すると、自動で撮影されます。

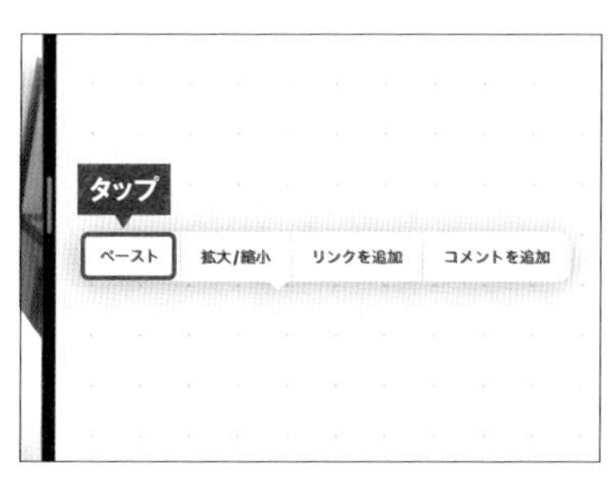

⑧ 画面を長押しして、メニューを出したら、「ペースト」をタップします。

⑨ 先ほどスクリーンショットした画像がペーストされます。

Technique 07

復習管理ショートカットで復習タイミングを自動管理する

勉強してから14日間のうちに期間を空けて5回復習すると、記憶が定着しやすいという考えがあります。復習する日をわざわざカレンダーに書いたり覚えておくのは大変なので、復習のタイミングを自動管理するショートカットを紹介します。

ショートカットをダウンロード

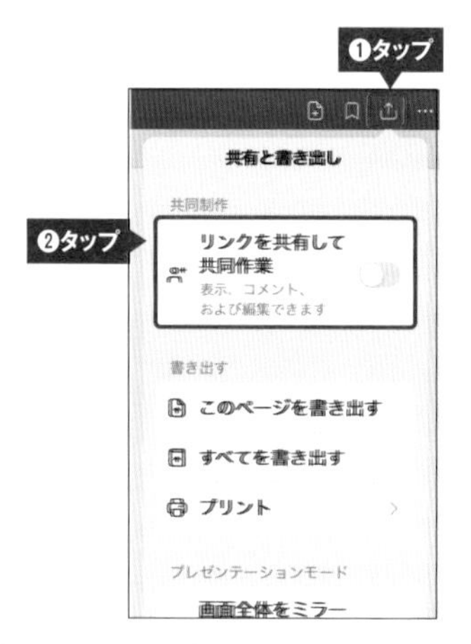

① 右上にある「共有と書き出し」アイコンをタップします。そして、「リンクを共有して共同作業」をタップして、オンにします。

② 上のQRコードを読み込みます。「英文添削」の「ショートカットを入手」をタップして、ダウンロードします。

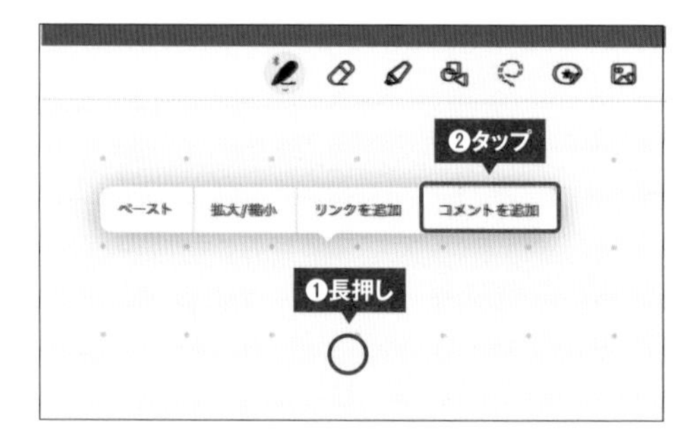

③ その日に勉強した範囲の1ページ目を画面に表示して、任意の場所を長押しします。そして、「コメントを追加」をタップして実行します。

④ コメントを入力します。自分でわかればでもOKです。

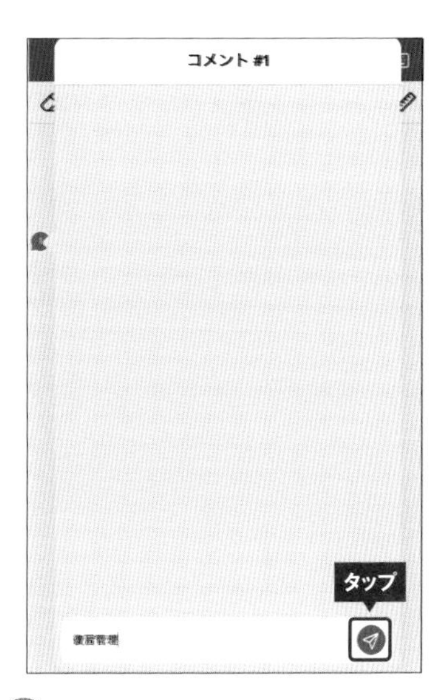

⑤「送信」マークをタップします。

⑥ コメントが添付され、上に表示されました。そして、画面右上の「…」マークをタップします。

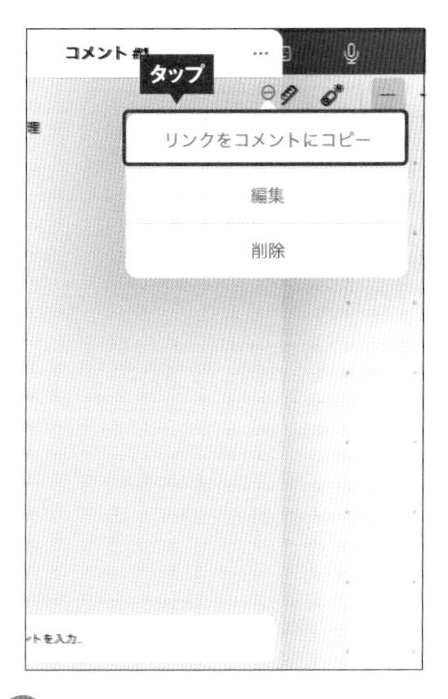

⑦「リンクをコピー」をタップします。

⑧ すると、上のほうに「リンクをクリップボードにコピーしました」と表示されます。その横にある「共有」をタップします。

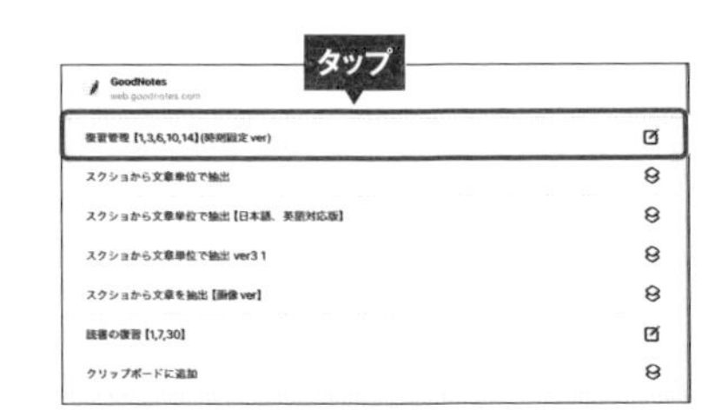

⑨ メニューが表示されます。そのなかから「復習管理」のショートカットをタップして実行します。

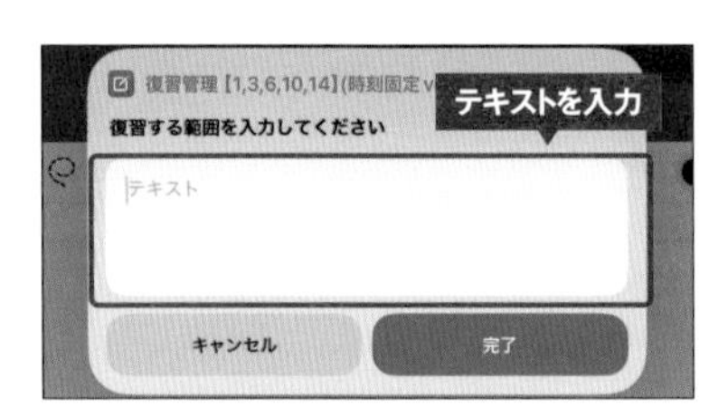

⑩ 「復習する範囲を入力してください」と表示されます。「文法の1～10ページ」など、自分でわかるように入力します。

復習管理［1,3,6,10,14］(時刻固定 ver)
復習する範囲を入力してください
文法の1～10ページ
タップ
キャンセル
完了

⑪ 完了をタップします。これで復習管理ショートカットを実行できました。

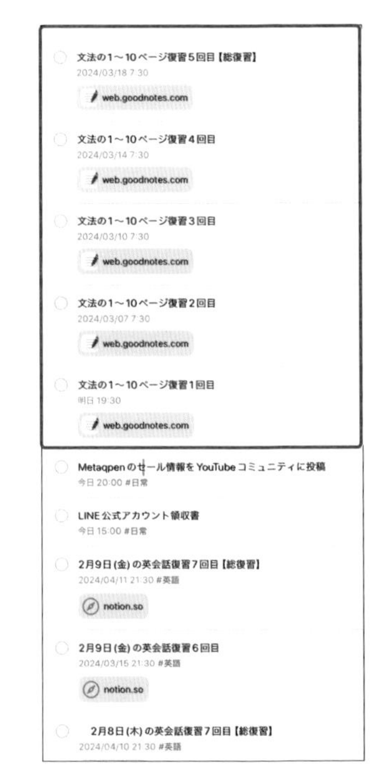

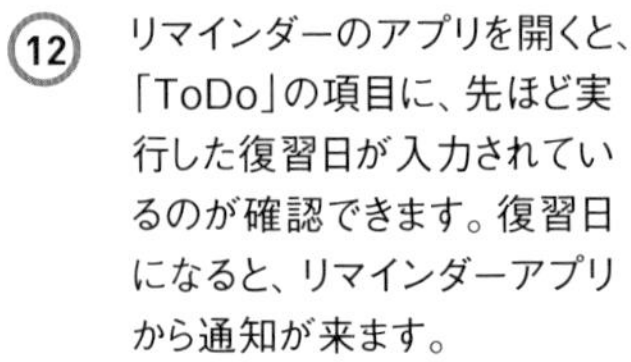

⑫ リマインダーのアプリを開くと、「ToDo」の項目に、先ほど実行した復習日が入力されているのが確認できます。復習日になると、リマインダーアプリから通知が来ます。

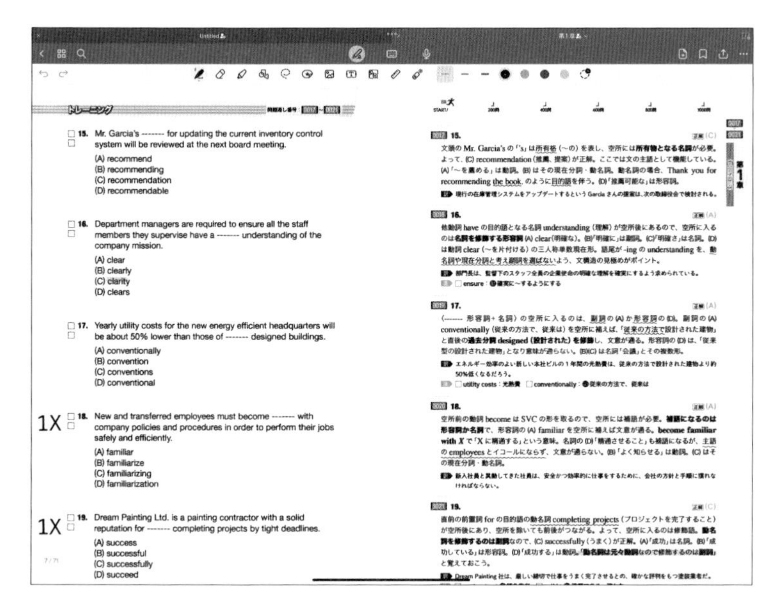

トレーニング

15. Mr. Garcia's ------- for updating the current inventory control system will be reviewed at the next board meeting.
(A) recommend
(B) recommending
(C) recommendation
(D) recommendable

16. Department managers are required to ensure all the staff members they supervise have a ------- understanding of the company mission.
(A) clear
(B) clearly
(C) clarity
(D) clears

17. Yearly utility costs for the new energy efficient headquarters will be about 50% lower than those of ------- designed buildings.
(A) conventionally
(B) convention
(C) conventions
(D) conventional

1X 18. New and transferred employees must become ------- with company policies and procedures in order to perform their jobs safely and efficiently.
(A) familiar
(B) familiarize
(C) familiarizing
(D) familiarization

1X 19. Dream Painting Ltd. is a painting contractor with a solid reputation for ------- completing projects by tight deadlines.
(A) success
(B) successful
(C) successfully
(D) succeed

15. 正解 (C)
文頭の Mr. Garcia's の「's」は所有格（～の）を表し、空所には**所有物となる名詞**が必要。よって、(C) recommendation（推薦、提案）が正解。ここでは文の主語として機能している。(A)「～を薦める」は動詞。(B) はその現在分詞・動名詞。動名詞の場合、Thank you for recommending the book. のように目的語を伴う。(D)「推薦可能な」は形容詞。
訳 現行の在庫管理システムをアップデートするという Garcia さんの提案は、次の取締役会で検討される。

16. 正解 (A)
他動詞 have の目的語となる名詞 understanding（理解）が空所後にあるので、空所に入るのは**名詞を修飾する形容詞** (A) clear（明確な）。(B)「明確に」は副詞。(C)「明確さ」は名詞。(D) は動詞 clear（～を片付ける）の三人称単数現在形。語尾が -ing の understanding を、動名詞や現在分詞と考え副詞を選ばないよう、文構造の見極めがポイント。
訳 部門長は、監督下のスタッフ全員の企業使命の明確な理解を確実にするよう求められている。
□ ensure：動 確実に～するようにする

17. 正解 (A)
〈------- 形容詞＋名詞〉の空所に入るのは、副詞の (A) か形容詞の (D)。副詞の (A) conventionally（従来の方法で、従来は）を空所に補えば、「従来の方法で設計された建物」と直後の**過去分詞 designed（設計された）を修飾**し、文意が通る。形容詞の (D) は、「従来型の設計された建物」となり意味が通らない。(B)(C) は名詞「会議」とその複数形。
訳 エネルギー効率のよい新しい本社ビルの 1 年間の光熱費は、従来の方法で設計された建物より約 50%低くなるだろう。
□ utility costs：光熱費 □ conventionally：副 従来の方法で、従来は

18. 正解 (A)
空所前の動詞 become は SVC の形を取るので、空所には補語が必要。**補語になるのは形容詞か名詞**で、形容詞の (A) familiar を空所に補えば文意が通る。**become familiar with *X*** で「X に精通する」という意味。名詞の (D)「精通させること」も補語になるが、主語の employees とイコールにならず、文意が通らない。(B)「よく知らせる」は動詞。(C) はその現在分詞・動名詞。
訳 新入社員と異動してきた社員は、安全かつ効率的に仕事をするために、会社の方針と手順に慣れなければならない。

19. 正解 (C)
直前の前置詞 for の目的語の動名詞 completing projects（プロジェクトを完了すること）が空所後にあり、空所を除いても前後がつながる。よって、空所に入るのは修飾語。**動名詞を修飾するのは副詞**なので、(C) successfully（うまく）が正解。(A)「成功」は名詞。(B)「成功している」は形容詞。(D)「成功する」は動詞。「**動名詞は元々動詞**なので修飾するのは**副詞**」と覚えておこう。
訳 Dream Painting 社は、厳しい締切で仕事をうまく完了させるとの、確かな評判をもつ塗装業者だ。

⑬ 通知が来たら、リマインダー内のリンクをタップすることで、Goodnotesが開きます。書類を閉じている状態や、Goodnotesのアプリ自体が終了している状態でも、アプリが立ち上がり該当するページが開きます。

Point ファーストシードカレンダーでトップ画面でも確認できる

ホーム画面からも確認したい場合は、「ファーストシードカレンダー」というアプリがおすすめです。このアプリを使用すると、ホーム画面のカレンダーのなかから復習管理を確認することができます。

※P4、P27、P38の問題集は『TOEIC L&Rテスト 文法問題 でる1000問』（アスク出版）を、許可を得て掲載しています。

Technique 08 ChatGPTで英文を添削する

Goodnotes上に書いた英文を、ChatGPTを使って添削する方法を解説します。ChatGPTはAIで英文を添削してくれますが、適切なプロンプトを入力しなければ、正しい答えを返してくれません。そこで、英文添削に適したショートカットをご用意しました。右のQRコードからダウンロードしてください。

ショートカットをダウンロード

無料版のChatGPTの場合、精度が落ちるため、同じような結果が得られない可能性があります。あらかじめご了承ください。

① 右上のQRコードを読み込みます。「英文添削」の「ショートカットを入手」をタップして、ダウンロードします。

② 添削したい英文を書いたら、なげなわツールで囲みます。一度ペンを離して、もう一度タップするとメニューが表示されます。

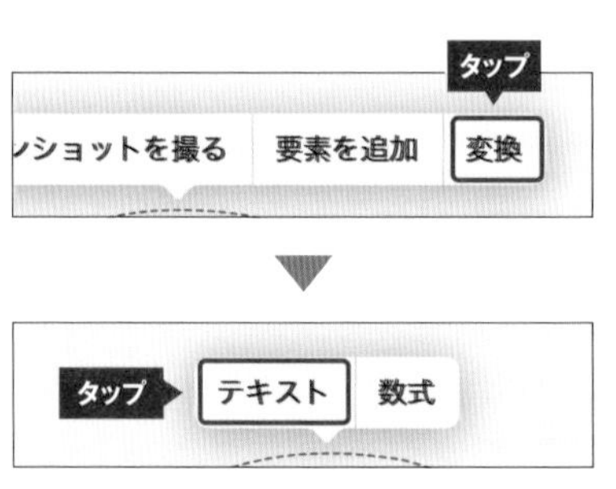

③ メニューのなかにある「変換」をタップします。続けて「テキスト」をタップします。

④ テキストに変換されます。もし、うまく変換されていないときは、右下の「Auto Detect」をタップします。

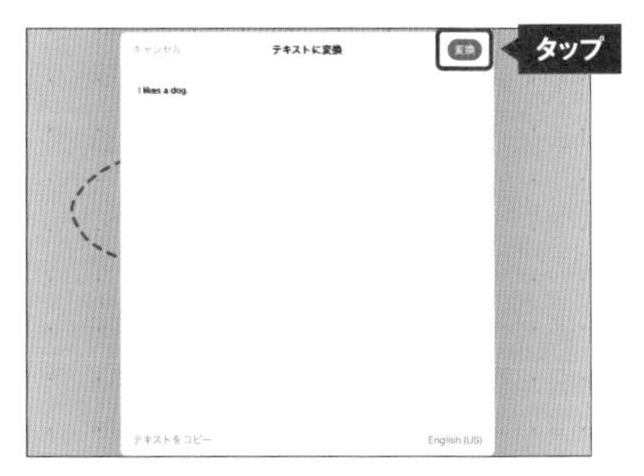

⑤ 右上の「変換」をタップします。

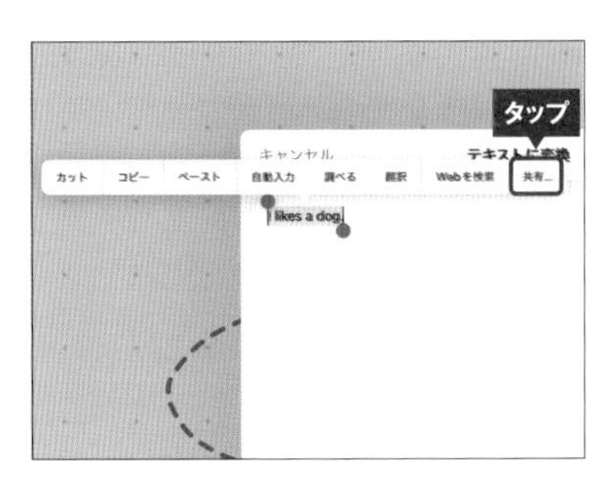

⑥ 英文をタップしてメニューを表示します。そのなかにある「共有」をタップします。

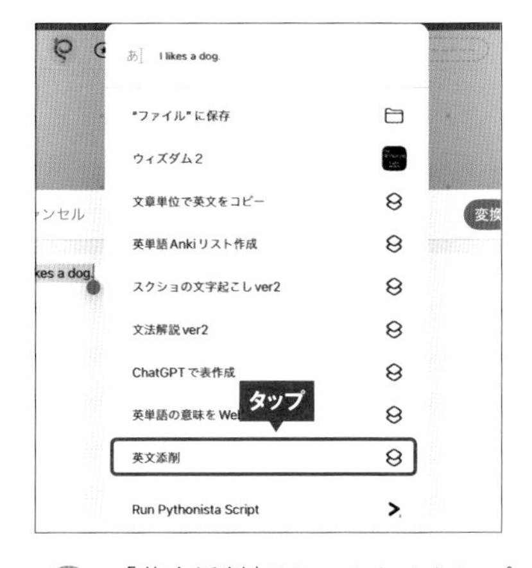

⑦ 「英文添削」のショートカットをタップします。

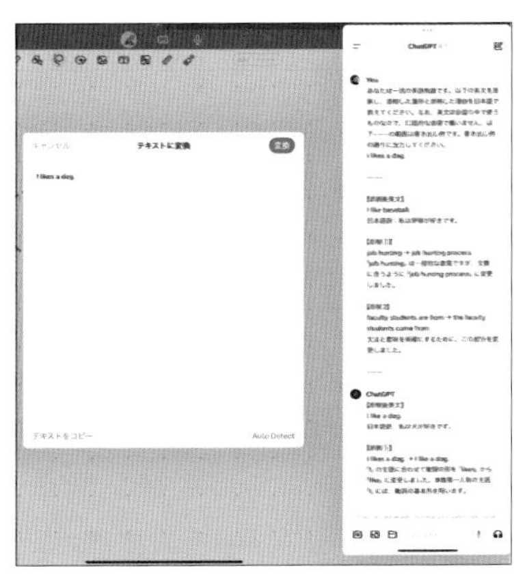

⑧ 自動的にSlide Over(106ページ参照)でChatGPTが開き、英文を添削してくれます。自動的にコピーもされます。

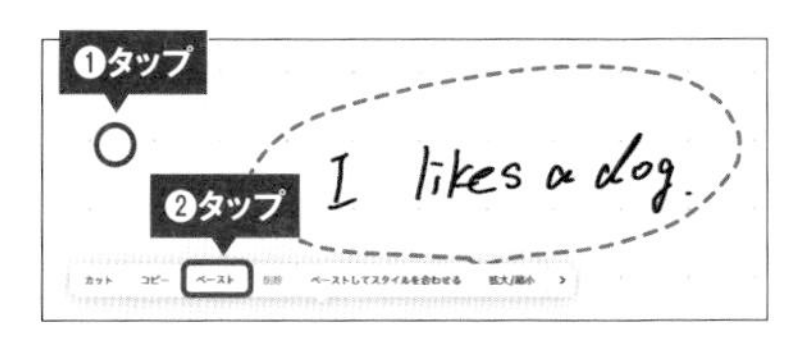

⑨ ノート上で長押しをして、「ペースト」をタップすると、添削してもらった文書を貼り付けることができます。ほかのメモアプリなどにもペーストできます。

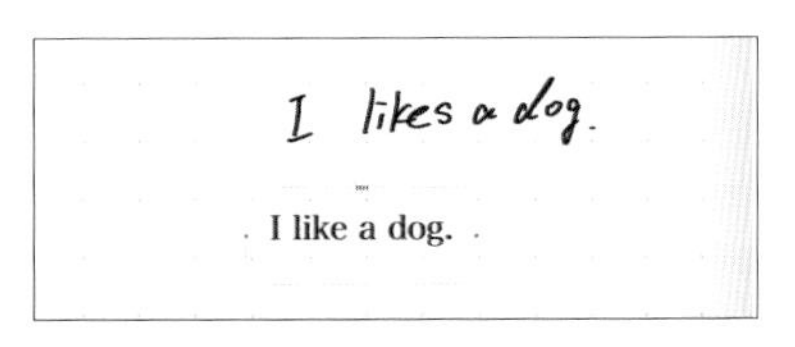

⑩ 添削前と添削後の英文を見比べてみたり、どこを間違えたのかなどを確認することができます。

Technique 09

手書きのメモからChatGPTできれいな表を作成する

Goodnotesの機能では、きれいな表を作成するのは大変です。Excelで作ってGoodnotesに貼り付けるのも時間がかかります。そこで、手書きのメモからChatGPTを使って簡単に表を作成するショートカットを紹介します。会議資料などを作る際に重宝します。

＼ショートカットを ダウンロード／

無料版のChatGPTの場合、精度が落ちるため、同じような結果が得られない可能性があります。あらかじめご了承ください。

ChatGPTで表作成

このショートカットについて

"Hey Siri、ChatGPTで表作成"と言って実行

共有シートに表示

ショートカットを追加

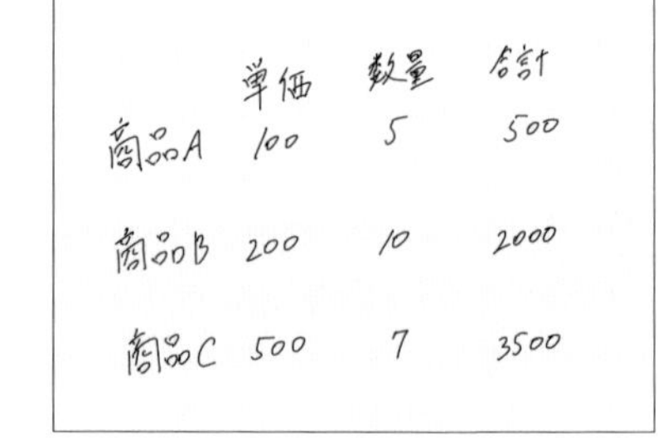

① 右上のQRコードを読み込みます。「ChatGPTで表作成」の「ショートカットを入手」をタップして、ダウンロードします。

② 表のもとになる数字などを書いたら、なげなわツールで囲みます。

なげなわツールで囲む

タップする

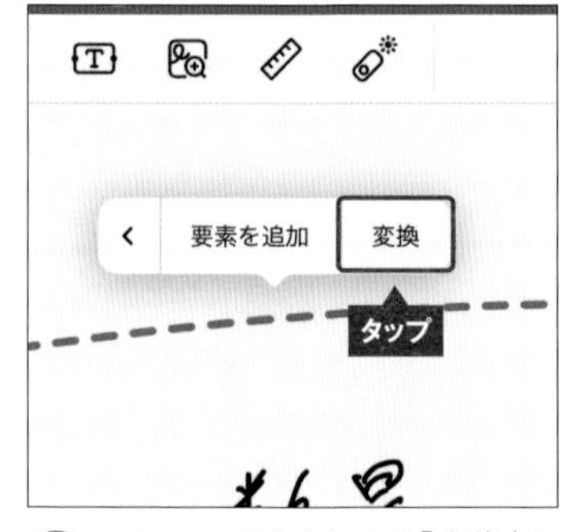

③ 一度ペンを離して、選択範囲内をタップするとメニューが表示されます。

④ メニューのなかにある「変換」をタップします。

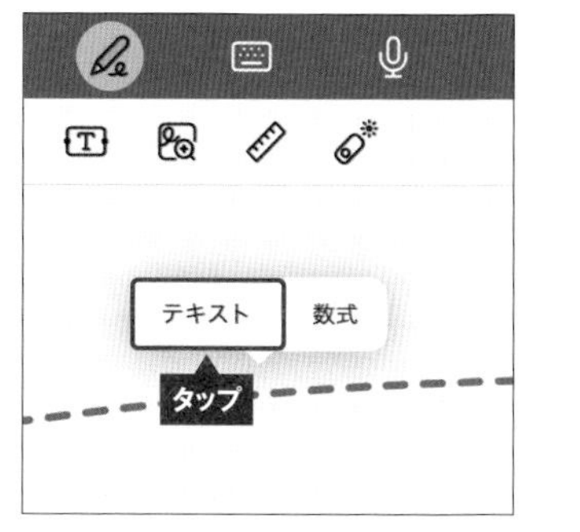

5 続けて「テキスト」をタップします。

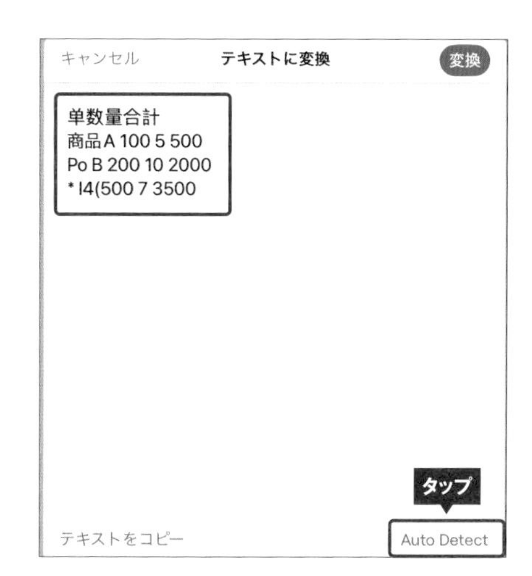

6 テキストに変換されます。文字化けしていることがあるので、右下の「Auto Detect」をタップします。

7 該当する言語を選択して、左上の「テキストに変換」をタップします。

8 ある程度修正されてきれいになりました。まだ多少、文字化けしていますが、この程度であればChatGPTのほうで直してくれます。

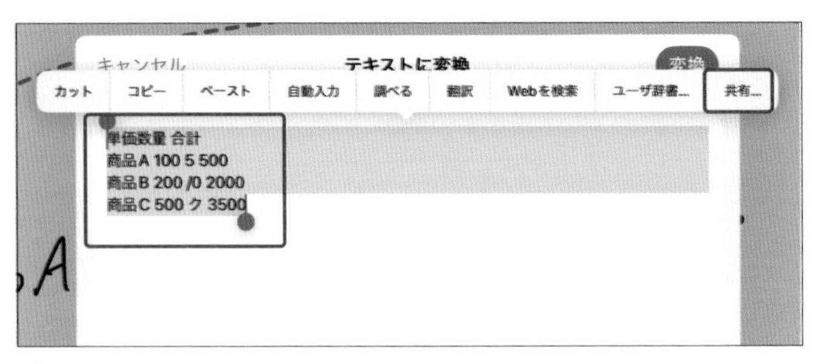

⑨ 変換されたテキストをすべて選択します。

⑩ 表示されたメニューのなかから、「共有」をタップします。

⑪ 「ChatGPTで表作成」のショートカットをタップします。

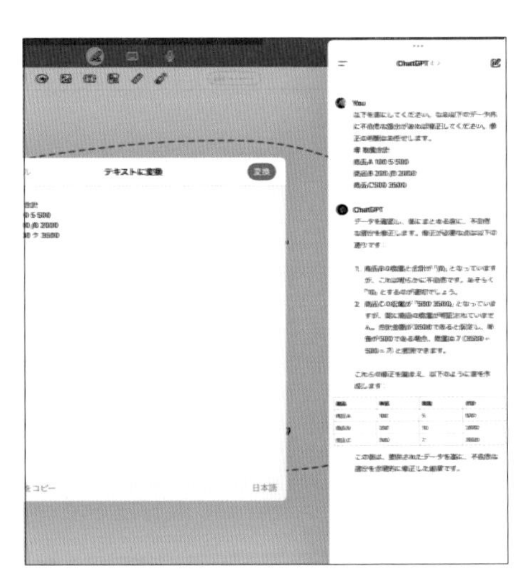

⑫ 自動的にSlide Over(106ページ参照)でChatGPTが開き、表を作成してくれます。

商品	単価	数量	合計
商品A	100	5	500
商品B	200	10	2000
商品C	500	7	3500

⑬ 表を使用するときは、スクリーンショットを撮ります。「コピー」「画像を保存」などを選択します。

▼

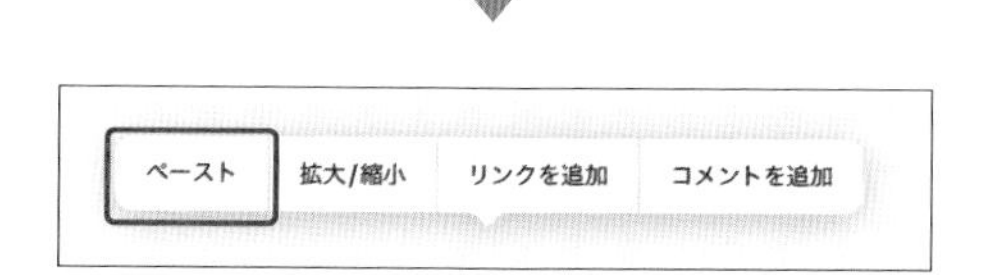

⑭ 画像ツールから画像を選択して挿入するか、Goodnotesのノート上で長押しをして、メニューを表示させたらペーストをタップします。

▼

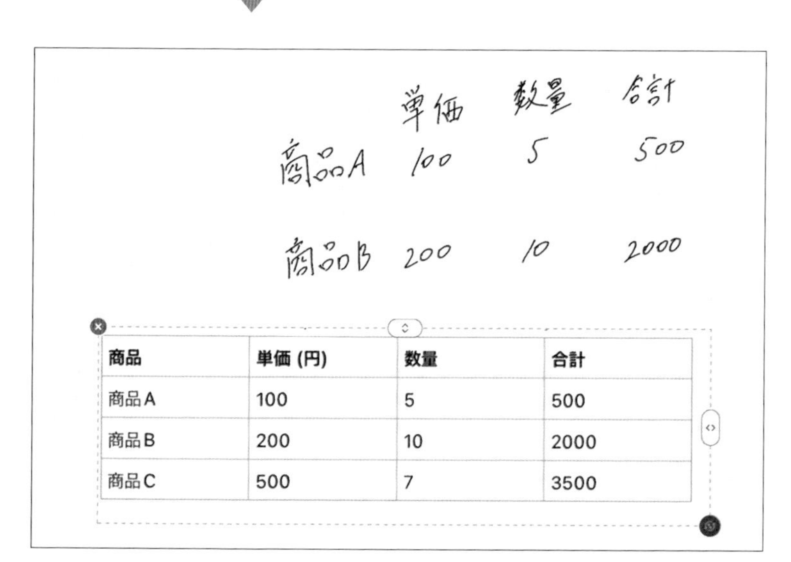

商品	単価 (円)	数量	合計
商品A	100	5	500
商品B	200	10	2000
商品C	500	7	3500

⑮ ノート上に先ほどスクリーンショットした表を貼り付けることができました。

Technique 10

手書きのテキストからカレンダー、リマインダーに直接登録する

Goodnotesの手書きから直接カレンダーに予定を登録したり、リマインダーにタスクを登録したりするショートカットを紹介します。仕事で会議や打ち合わせ中に使うことを想定しています。課題などを出されたときに活用します。

テキストからリマインダーor予定を登録

ショートカットを入手

① 右上のQRコードを読み込みます。「テキストからリマインダーor予定を登録」の「ショートカットを入手」をタップして、ダウンロードします。

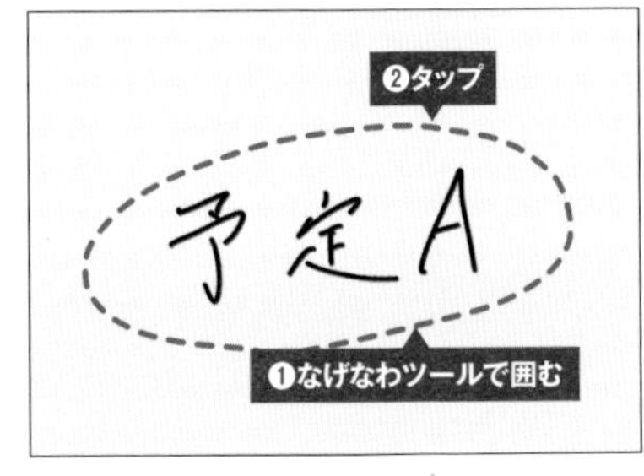

② 登録したい予定やタスクを書いたら、なげなわツールで囲みます。

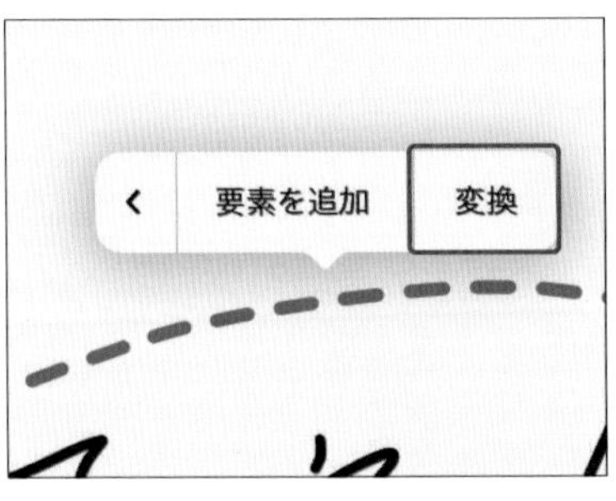

③ 一度ペンを離して、選択範囲内をタップするとメニューが表示されます。メニューのなかにある「変換」をタップします。

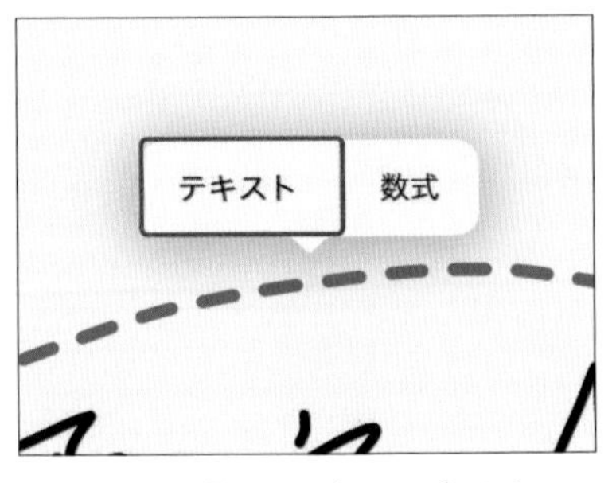

④ 続けて「テキスト」をタップします。

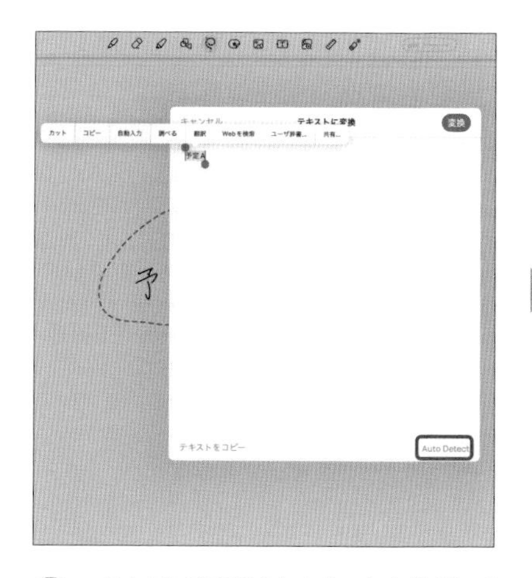

⑤ テキストに変換されます。文字化けしていることがあるので、右下の「Auto Detect」をタップします。

⑥ 「日本語」をタップして、左上の「テキストに変換」をタップします。

⑦ すると、正しい日本語に変換されました。

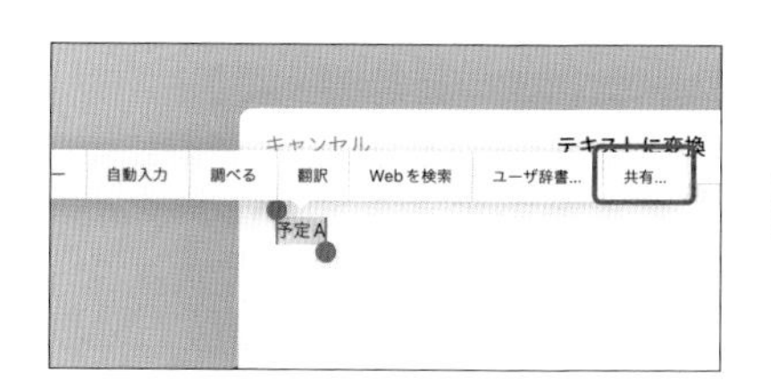

⑧ テキストをすべて選択して、「共有」をタップします。

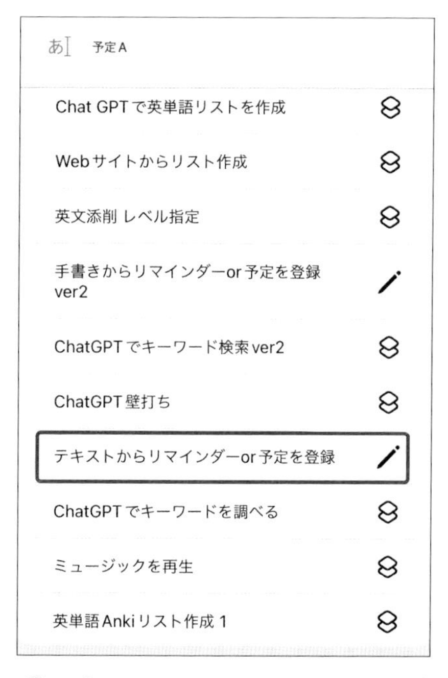

⑨ 「テキストからリマインダーor予定を登録」のショートカットをタップして実行します。

リマインダーに登録する場合

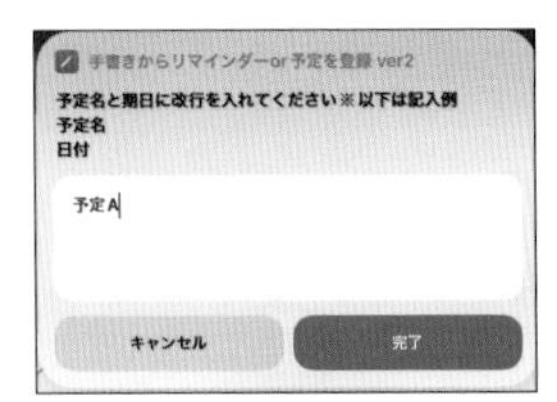

① 期日と時間を入力する画面が表示されます。入力したら「完了」をタップします。

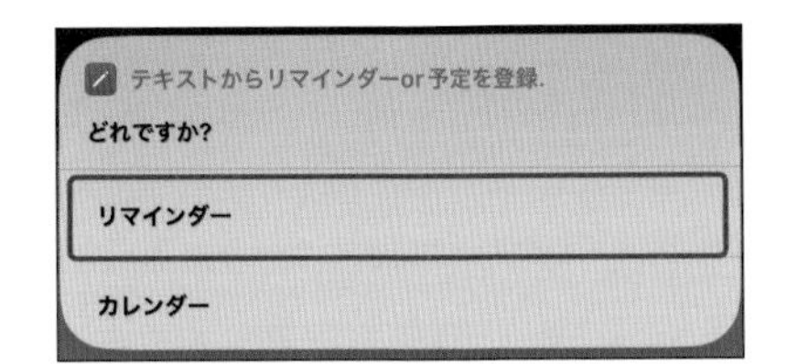

② 「リマインダー」か「カレンダー」のどちらに登録するかを選びます。

③ 今回は「リマインダー」に登録します。

④ 「リマインダー」を開くと、タスクが登録されているのが確認できます。

カレンダーに登録する場合

1　今度は「カレンダー」に登録してみます。ショートカットを実行すると、期日と時間を入力する画面が表示されます。入力したら「完了」をタップします。

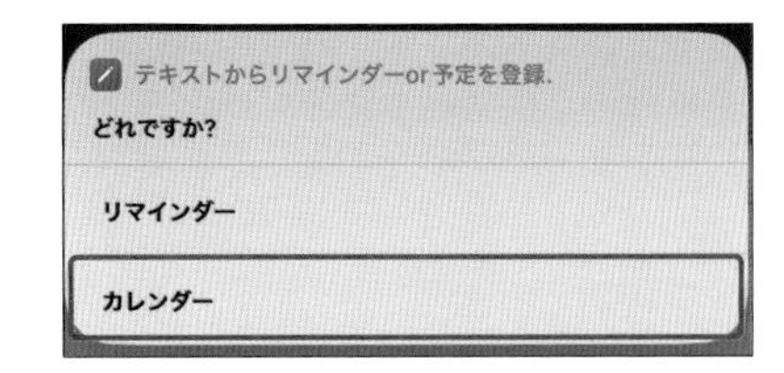

2　「カレンダー」をタップします。

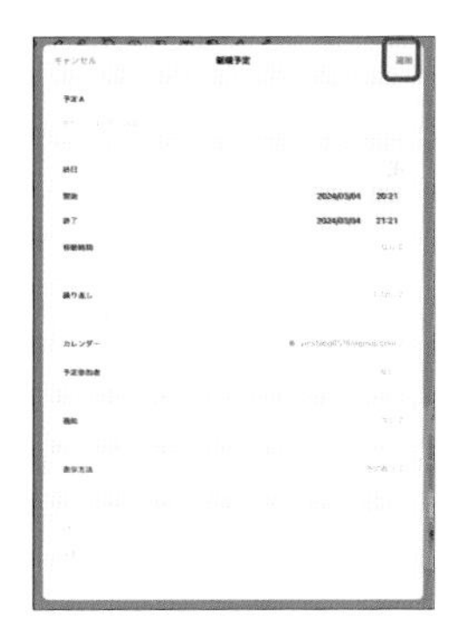

3　カレンダーが立ちあがり、詳細を編集する画面が開きます。必要に応じて入力して、追加をタップします。

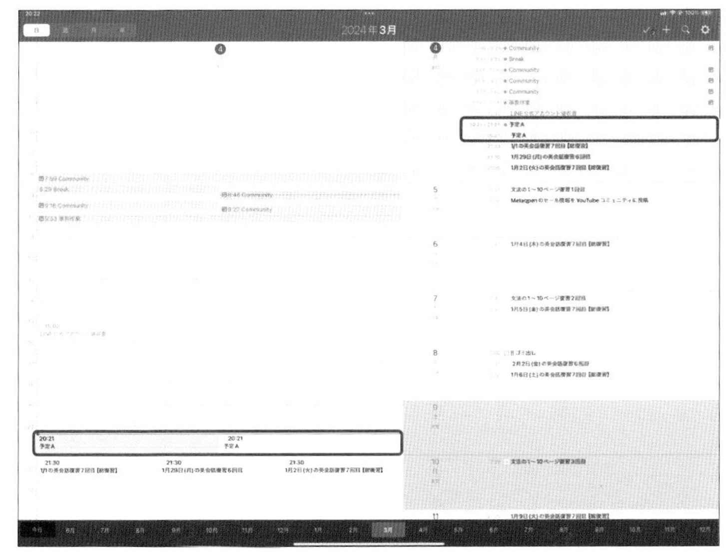

4　カレンダーのアプリ画面を見ると、今登録した予定がたしかに登録されているのがわかります。

Technique

11 Goodnotesを使った勉強術

24ページの「復習管理ショートカットで復習タイミングを自動管理する」と併せて使用することで、効率よく勉強ができるようになる勉強法を解説します。

① まず、「1X」「2X」「3X」などスタンプを作ります。

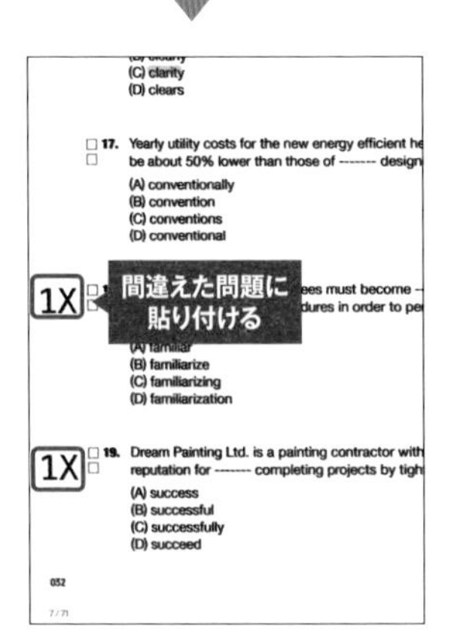

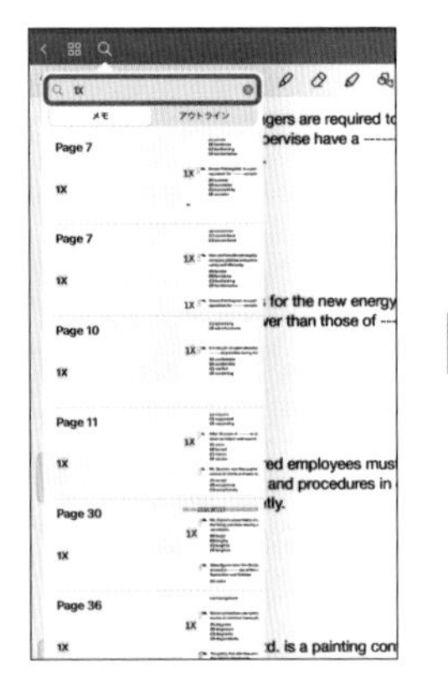

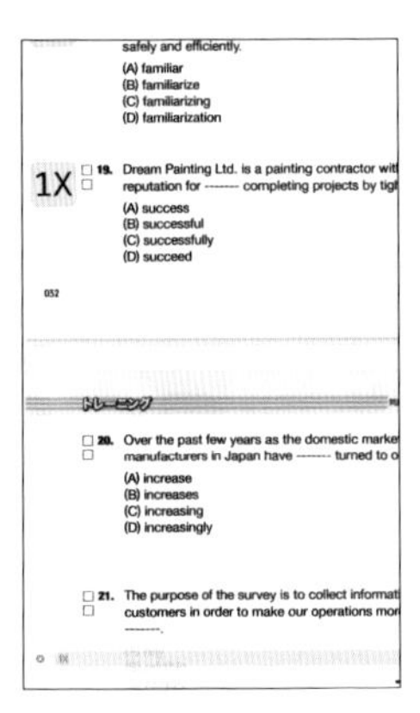

② 問題集を取り込んだノートを開いて学習します。1度間違えた問題には、「1X」のスタンプを貼り付け、2度間違えた問題は「2X」と回数によって貼り付けるステッカーを変更します。

③ 復習するタイミングになったら検索窓で「1X」と検索します。

④ すると、1度間違えた問題だけを復習できます。

⑤ 右下にある左右の矢印をタップすれば、同じ「1X」の箇所に飛ぶことができるので、効率的に間違えた問題だけを復習できます。

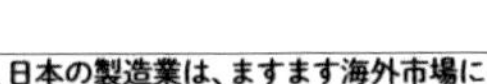

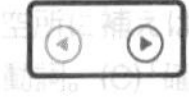

Part 3

忙しい人のスケジュール・タスク管理

表現家・まなび探求家
THE オトウサンノヒミツキチさん

Technique 12

Goodnotesで業務棚卸しを行い、タスク管理する

タスクを管理するときは、棚卸しがきちんとできていないと、優先順位がわからなくなったり、何から手を付けていいかわからなくなります。アプリや特殊な機能を使わなくても、タスク管理できる方法を紹介します。下記の３つのフレームワークを使いますので、ペンツールや定規ツールなどを使って、同じように作ってみてください。書き込むときは、期限とToDoをテキストで打ちます。自分で決めたタスクは黒字、人に頼まれたタスクは赤字に変更します。期限がないものはタスク内容だけで大丈夫です。

1 全体のタスク

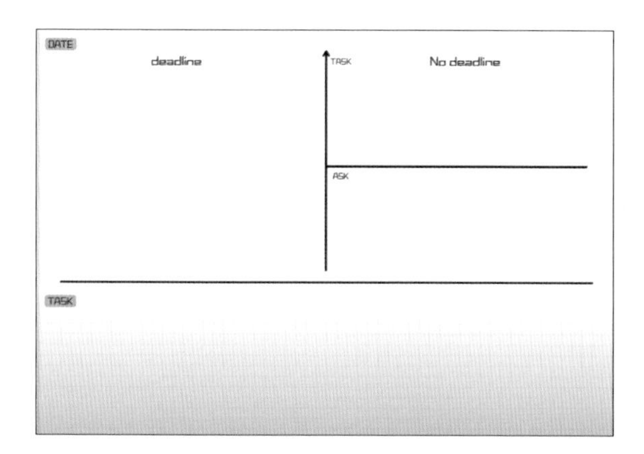

2 期限のあるタスク

TASK
MEMO
ASK

3 タスクの細分化

TASK
0528社内報完成させる

① 自分が抱えている業務をすべて書き出す

下のスペースに自分が抱えている業務を思いつくかぎりすべて書き出します。日付（期限のあるタスクのみ）＋ToDoで打ち込みます。

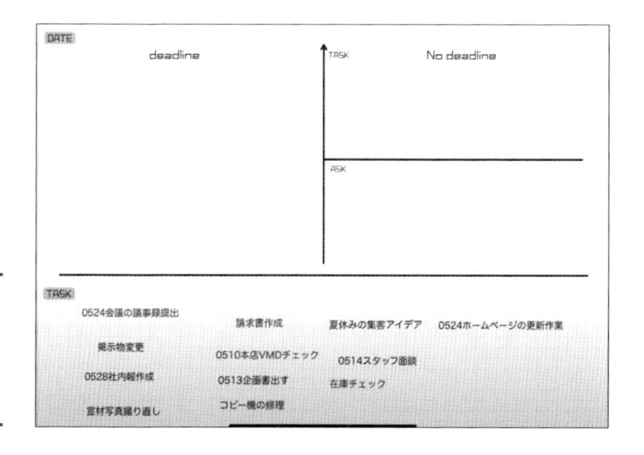

② 各ブロックに移動させる

期限のあるタスクをこのスペースにすべて移動させ、日付順に並び替えをします。期限のあるものが最優先に取り組むべきタスクだと意識しましょう。

期限のないもので、自分で決めたタスクをこのスペースにすべて移動します。

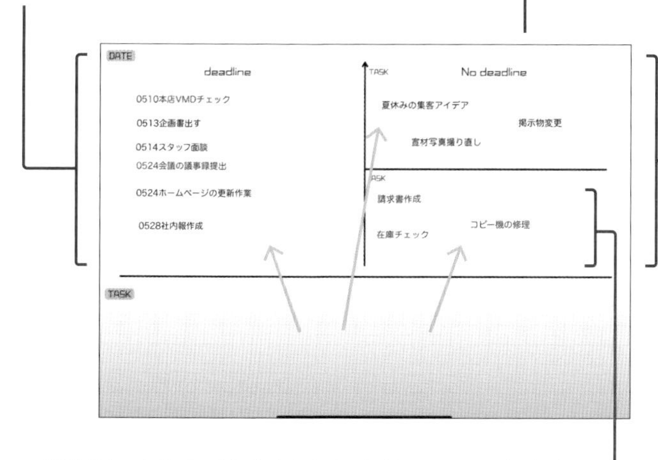

期限がなく、自分で決めたタスクは、成長や出世のためにやるべき仕事になります。期限がないタスクを、いかにして左の期限があるタスクにするかが大切です。

期限がないもので、人に頼まれたタスクをこのスペースにすべて移動します。期限がなく人に頼まれた仕事は、放ったらかしにしておくと評価が下がったり、振り回されるもとになるタスクです。

③ タスクを細分化する

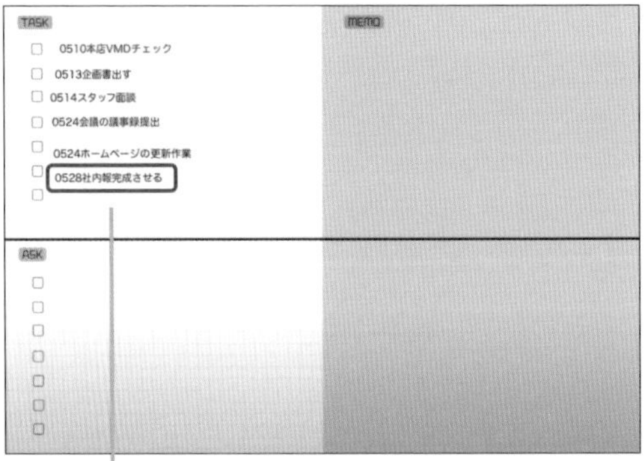

1

期限があるタスクをすべてコピーして、2つ目のフレームにペーストします。ここで、いま考えるべきタスクに集中する必要があるので、期限がないタスクと混載しないようにしましょう。改めてこのToDoのリストを見ると、タスクの数が少ないことがわかります。各ToDoはさらに細かい工程に分けられるはずです。例えば、「0528社内報を完成させる」は、実際にはレイアウトを書いたり、上長への提出・確認が必要だったり、さまざまな作業があるはずです。

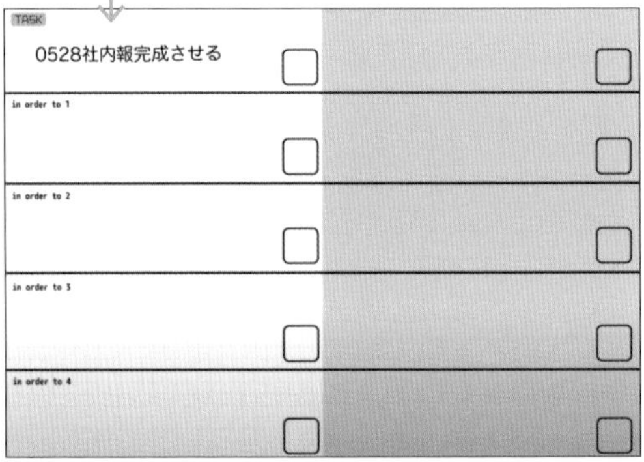

2

そこで、3つ目のフレームの上段に、タスクをコピー&ペーストします。

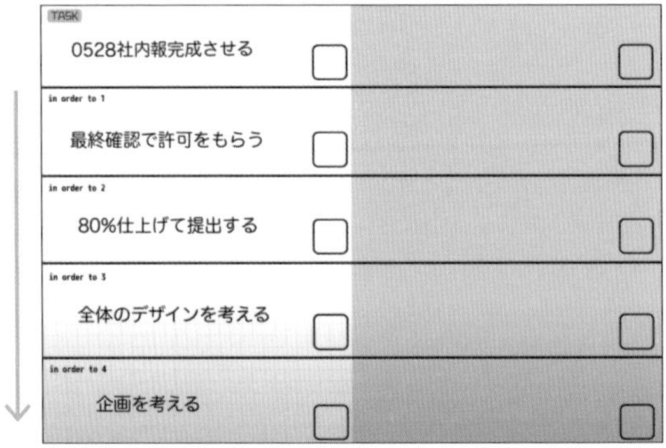

3

その下の「in order to」（「そうするためには」という意味）に、工程を細分化して入れていきます。例えば、「社内報を完成させるためには、最終確認で許可をもらう」「そうするためには、80%仕上げて提出する」「そうするためには、全体デザインを考える」「そうするためには、企画を考える」と掘り下げて分割していきます。

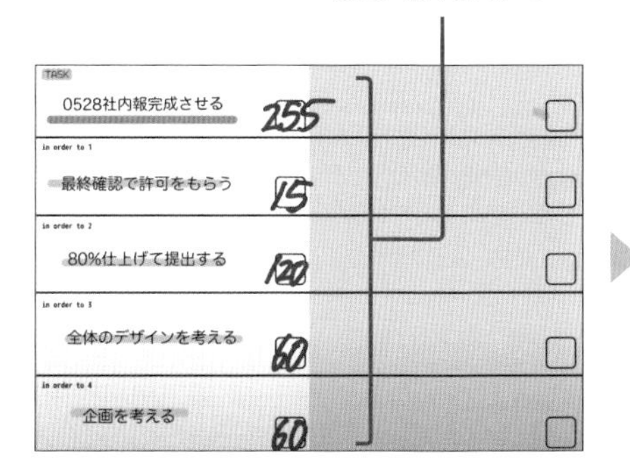

4　右下のチェックボックスのなかには、細分化した各項目のおおよその所用時間を記入します。それぞれの所要時間を合計すると、1つのタスクにかかる時間がわかります。この場合は合計で255分かかります。

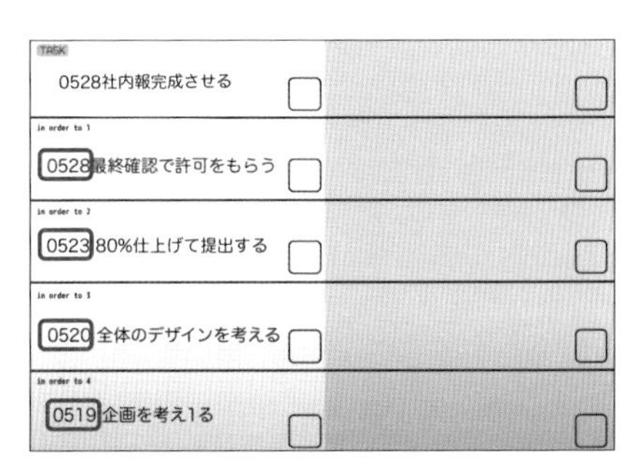

5　元々、予定していた5月28日に作業するのが難しいと感じた場合は、28日より前の日付で、細分化した各工程の期限を決めます。他のタスクとの兼ね合いも考え期限を決めて、デイリータスクに落とし込んでいきます。

6　なげなわツールで囲み、すべてのタスクをコピーします。

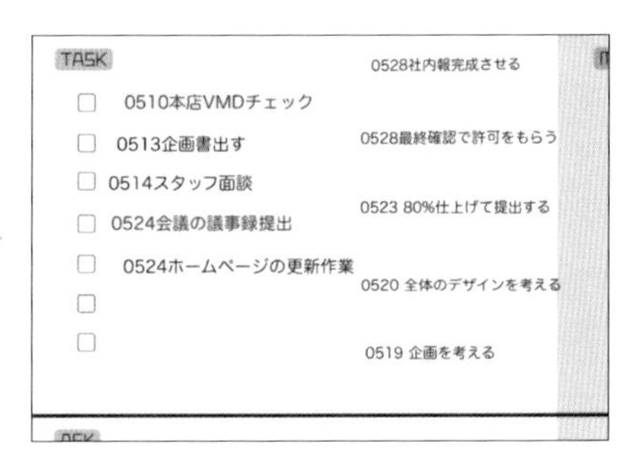

7　1つ目のフレームに戻って、タスクをペーストします。すると、元々のタスクに比べて、タスクの量が増えていることがわかります。数が増えて大変だと感じるかもしれませんが、細分化することでデイリーの密度が上がり、1日の精度が上がります。また、時間の割り振りを自分でコントロールできるので、無理のないスケジュールが組めます。余裕が生まれて、ミスも減るので、結果的に仕事の生産性が向上します。

Technique 13

Goodnotesを使ったデイリーの時間管理術

デイリーの時間を管理する方法を紹介します。下記画像を参考に、フレームワークを作ってください。大きく2つのブロックに分かれています。左側はタイムスケジュールとタスク管理になります。右側はその日の目標や、1日のなかでの気付きや振り返り、アイデアを書き込み、1日の終わりには自己採点も書き込みます。このフレームワークを毎日使うことで、スケジュール帳にもアイデア出しのノートにもなり、日々の日記や日報の代わりにもなります。

TASK

自分が元々決めていたToDoリストを書き込みます。

AFFIRMATION

その日の目標です。どんな気持ちでその日を過ごすか、どんな目標にするか、簡単な言葉で書きます。

BE CREATIVE

十字線で区切られているので、SWOT分析に活用したり、仕事の4領域に分けて業務の棚卸しをしたりと、いろいろな使い方ができるスペースです。

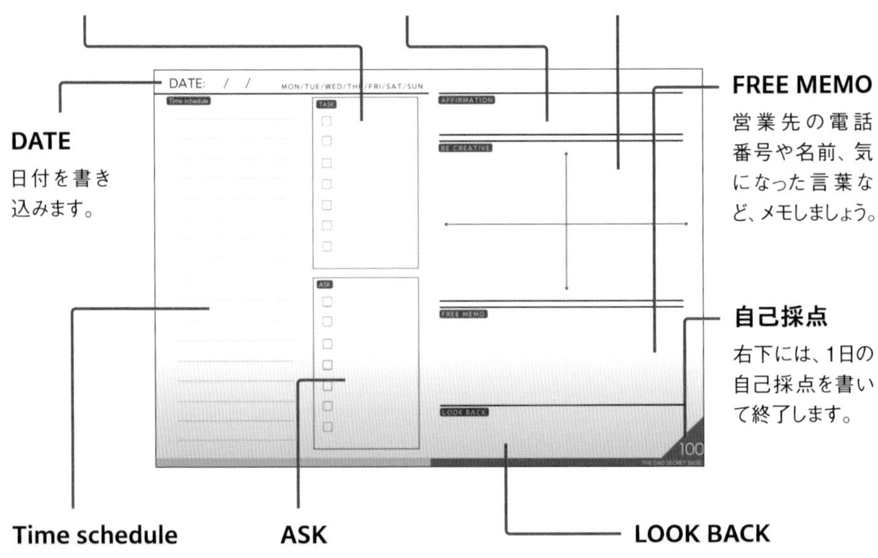

DATE

日付を書き込みます。

FREE MEMO

営業先の電話番号や名前、気になった言葉など、メモしましょう。

自己採点

右下には、1日の自己採点を書いて終了します。

Time schedule

まず時間を書き込み、1日の業務や、何時に何をやるかなど、タイムスケジュールを書き込みます。

ASK

他人から頼まれた仕事や、突発的に頼まれた仕事を書き込みます。TASKと分けて書くことで、優先順位がわかるようになります。

LOOK BACK

1日の振り返りを書きます。今日はどうだったか、どんな気持ちで終わったか、課題は何かなど書き込みます。

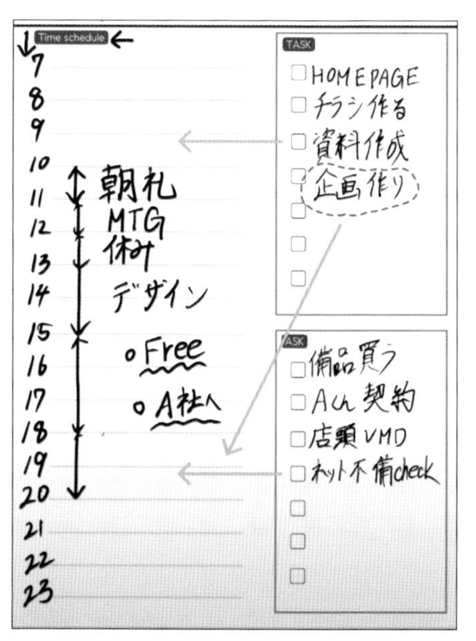

TASKとASKの項目をTime scheduleに移動させ、いつ行うかを整理します。やるべき時間帯が明確になります。仕事量がオーバーする場合は、再度スケジュールを再考します。

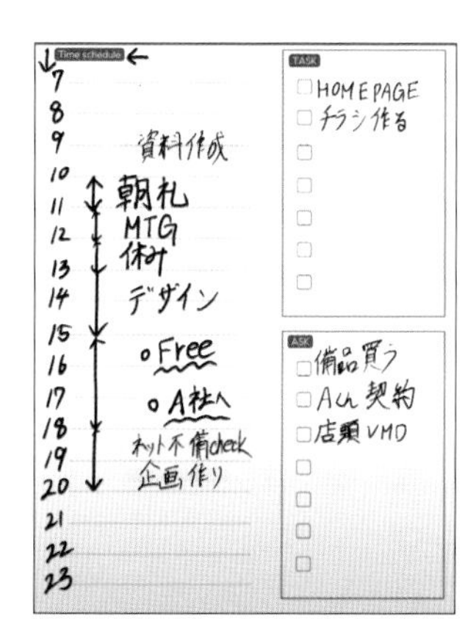

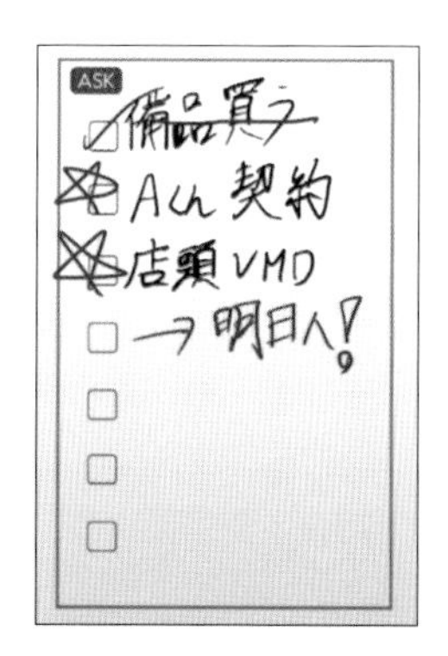

完了した仕事はチェックボックスにチェックを入れたり、線で消したりします。また、終わらなかった仕事は☆マークを入れるなどして、わかるようにしましょう。

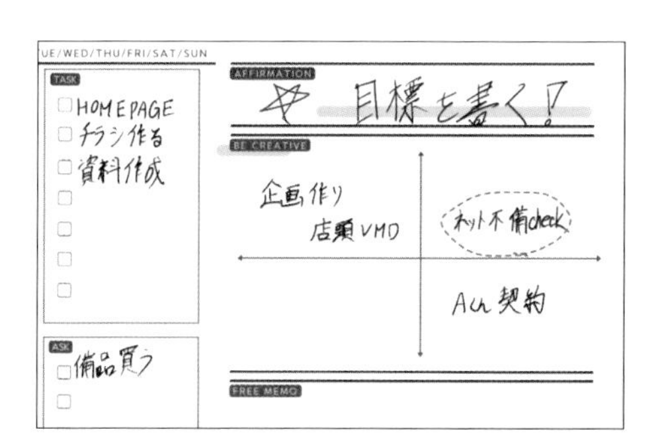

AFFIRMATIONにはその日の目標を一言で書き、BE CREATIVEは例えば、仕事の内容を4領域に分けて分析するなど、十字線を活用しましょう。

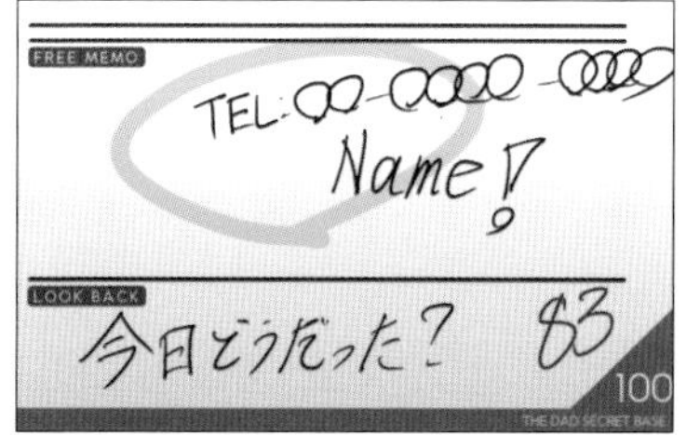

FREE MEMOにはその日にあったことや知り合った人の連絡先など何でも自由に書き込みましょう。LOOK BACKでは、どんな日だったか、感想や気持ちを書き込み、最後にその日1日の点数を書きます。

Technique 14

センスや企画力を上げるノート術

アイデアや企画を生むためには、日常生活で常にアンテナを張っていることが重要です。アンテナの感度を上げるためのノート術を紹介します。下記のようなフレームワークをノートで作ってみてください。自分が良いと思った写真を貼り付けて、色や形、数値化して分析します。自分の心を動かしたものには、作り手の想いや熱量が詰まっていて、大きなヒントが隠されているものです。もしも、人にアイデアや企画を伝えたいと思ったら、そこには自分の想いがないと、相手を感動させたり伝えたりすることができません。このノート術で、自分の心が動く要素を分解して把握することで、物事を見る視点が変わるので、センスや企画力を上げることができます。

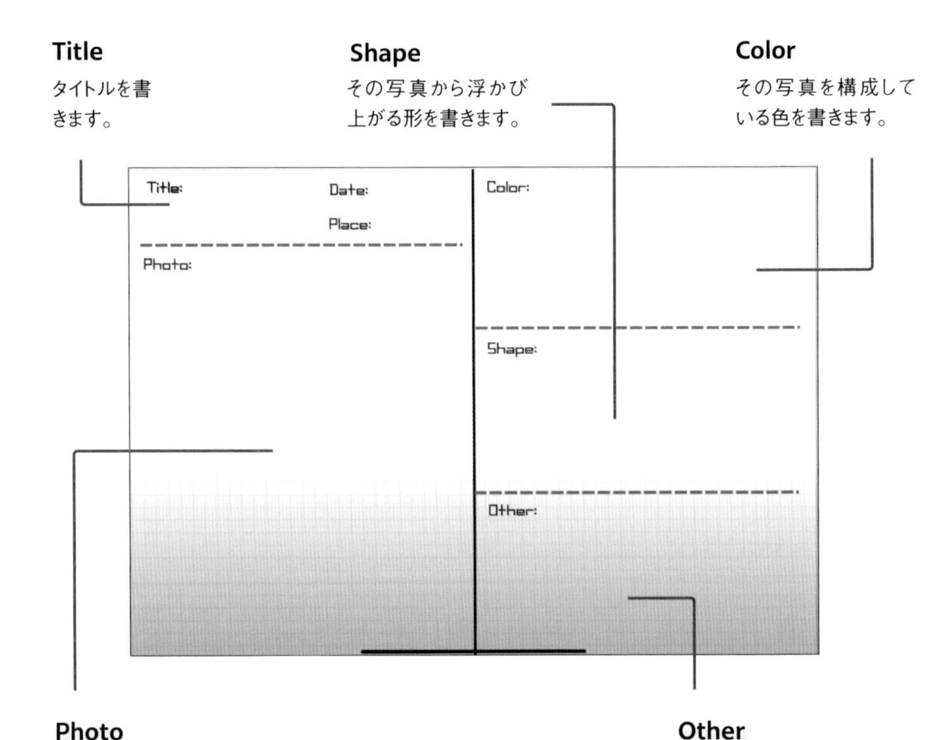

Title
タイトルを書きます。
Shape
その写真から浮かび上がる形を書きます。
Color
その写真を構成している色を書きます。
Title:
Date:
Place:
Photo:
Color:
Shape:
Other:
Photo
自分が気に入っている写真を使います。ジャンルなどは気にせず、どんな写真でもかまいません。
Other
上の2カ所以外の要素を書きます。

写真を貼り付けて分析する

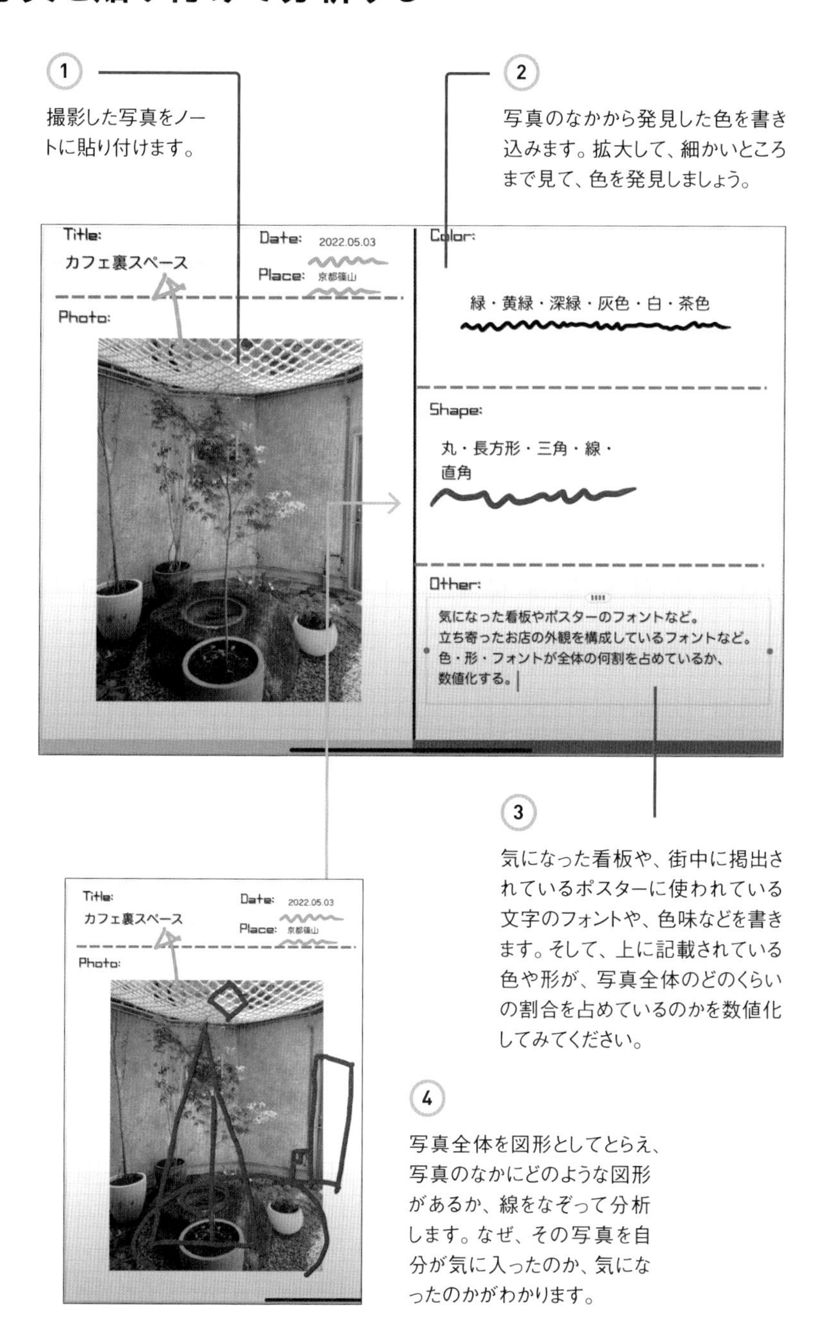

1
撮影した写真をノートに貼り付けます。

2
写真のなかから発見した色を書き込みます。拡大して、細かいところまで見て、色を発見しましょう。

3
気になった看板や、街中に掲出されているポスターに使われている文字のフォントや、色味などを書きます。そして、上に記載されている色や形が、写真全体のどのくらいの割合を占めているのかを数値化してみてください。

4
写真全体を図形としてとらえ、写真のなかにどのような図形があるか、線をなぞって分析します。なぜ、その写真を自分が気に入ったのか、気になったのかがわかります。

Technique 15

自己PRで使える自分軸の見つけ方

就職活動や転職活動などで自己分析する際にもGoodnotesは役立ちます。紙のノートでももちろんできますが、デジタルならではの機能を使うと、手軽に自己分析ができます。さまざまなフレームワークがありますが、ここでは自分の幼少期と小学校時代、中学校・高校時代にそれぞれなりたかったことを振り返り、分析することで、自分の軸を見つける方法を紹介します。まずは、下の画像を参考に、フレームワークを書きます。

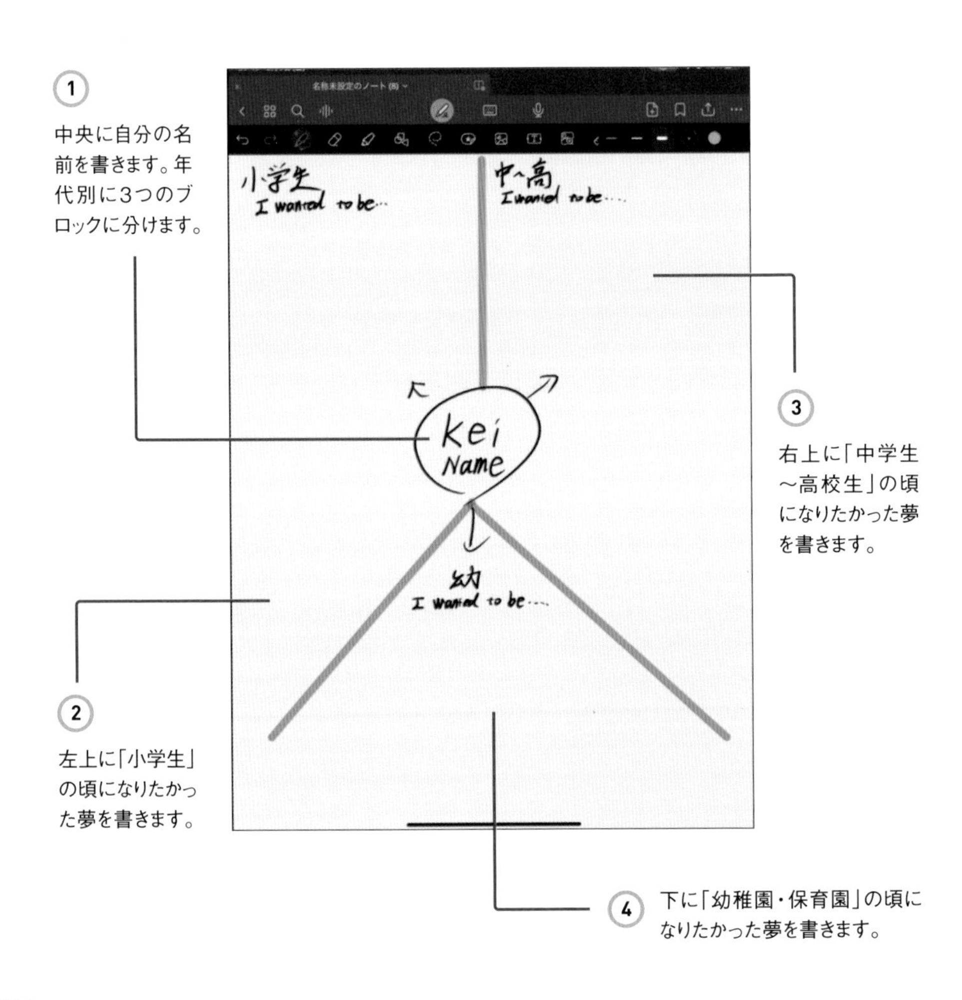

1 中央に自分の名前を書きます。年代別に3つのブロックに分けます。

2 左上に「小学生」の頃になりたかった夢を書きます。

3 右上に「中学生〜高校生」の頃になりたかった夢を書きます。

4 下に「幼稚園・保育園」の頃になりたかった夢を書きます。

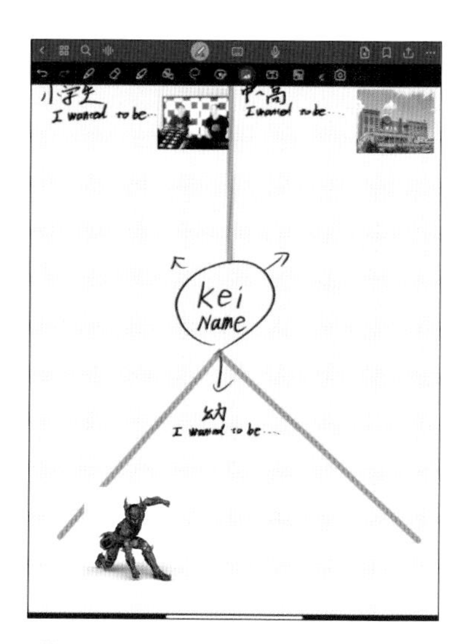

5　それぞれの時代になりたかったものや職業の写真を貼り付けます。

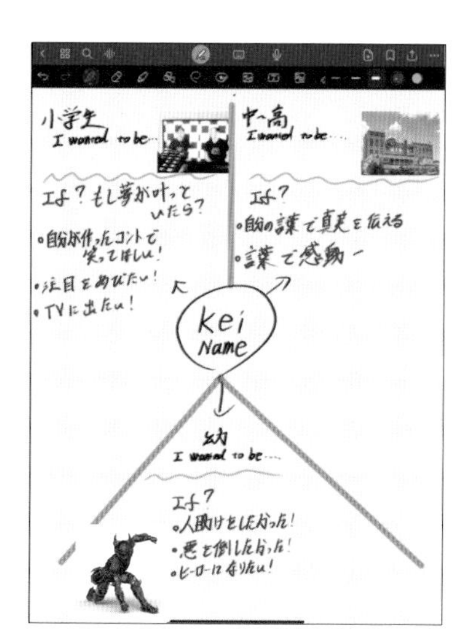

6　それぞれの夢を叶えていたら、どんなことをしたかったのかを、過去の自分に戻りながら言葉にしていきます。数が多ければ多いほど、後で自分軸を見つける際に役に立ちますので、たくさん書き出してみましょう。

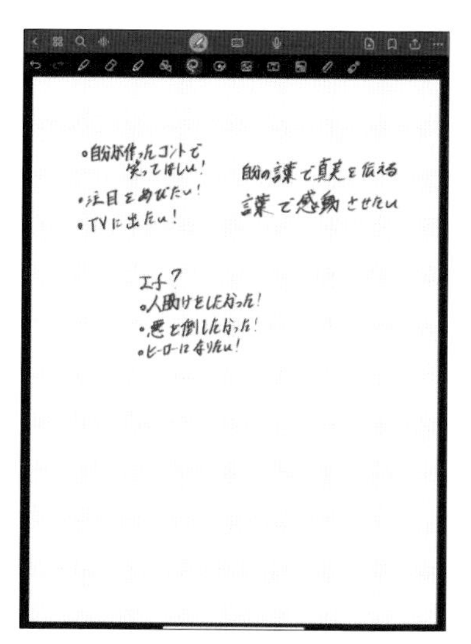

7　箇条書きした項目をすべて、なげなわツールで囲み、コピーします。そして、別のページにペーストします。

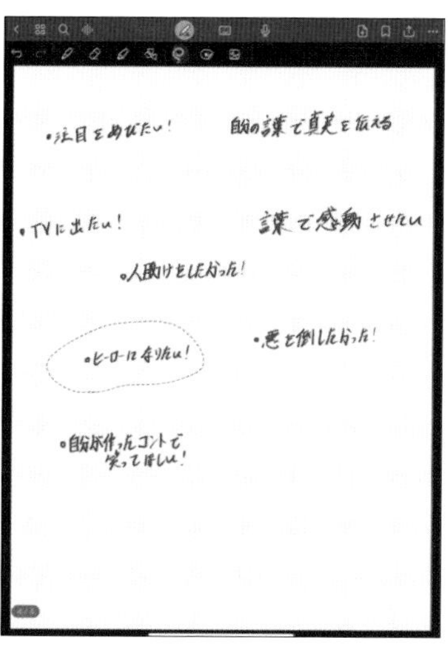

8　一行ずつ、なげなわツールで分けていきます。

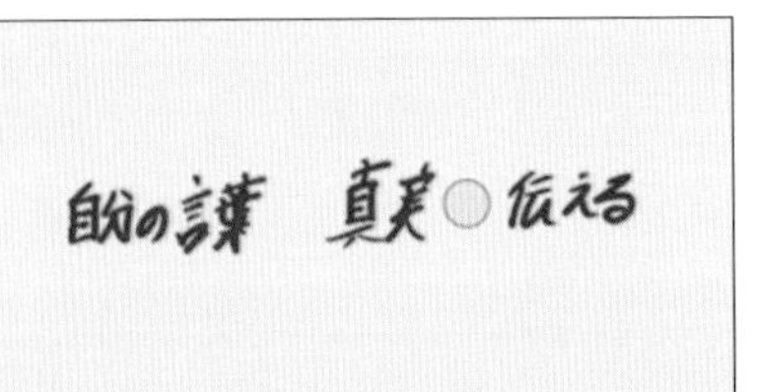

9 各項目からキーワードを抽出します。例えば、「自分の言葉で真実を伝える」という文章なら「自分の言葉」「真実」だけを残します。

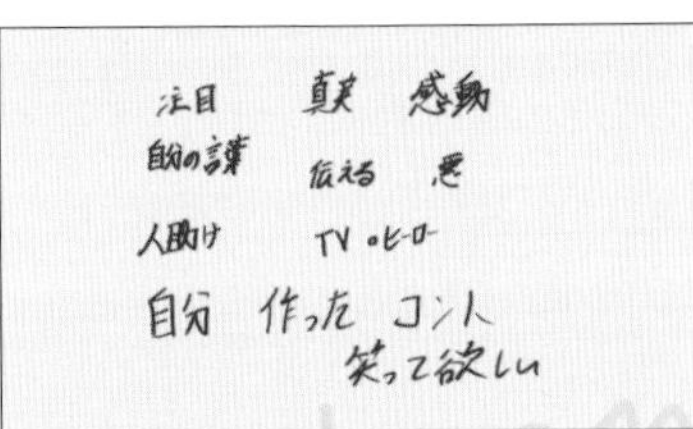

10 キーワードだけにしたら、ノートの上部に集めます。

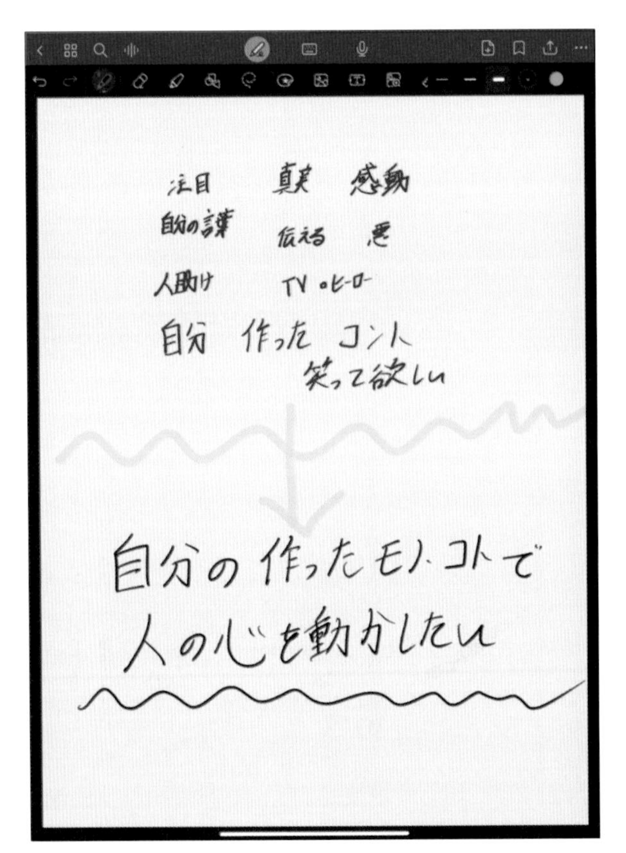

11 その下に線を描いて区切り、矢印を描きます。上のキーワードから考えられる文章を作成します。それが自分の軸になります。私の場合は、キーワードから言い切れることは「自分の作ったモノ、コトで人の心を動かしたい」になります。

Part 4

リモート会議の質を上げるテクニック

ビジネスコーチ・ファシリテーター
谷 益美さん

Technique 16

リモート会議の準備

リモート会議やWeb講座などで、Goodnotesを使って議事録を取ったり、板書をしたりする際の設定や準備の仕方を紹介します。Zoomの画面共有でタブレットの画面を表示する方法もありますが、PCはZoom操作用、タブレットは議事録・板書用として、それぞれ別々にログインします。

PCとタブレットそれぞれZoomにログインします(アカウントは共通でOKです)。

落ちないようにリスク分散をするのであれば、PCとタブレットは接続する回線を分けておくと、万が一どちらかがつながらなくなっても、会議自体は続けられます。

PC=Zoom操作用

PCはカメラで顔を映したり、Zoomの操作をするために使用します。

タブレットを画面用共有にする

iPadでZoomの画面を開かないでおくと、数分経つと勝手に退出させられてしまいます。Zoomで画面共有しているか、Split Viewなどで画面上にZoomを表示していると回避できます。

タブレット=議事録・板書用

タブレットは、画面共有して議事録を取ったり板書をするために使用します。

iPadの画面を共有する方法

① 「コンテンツの共有」をタップし、表示されたメニューから「画面」をタップします。

② 「ブロードキャストを開始」をタップします。

③ 3カウントの後、画面共有が開始されます。

画面共有中

④ iPadの画面がそのまま共有されます。

iPadのオーディオは切断する

iPadはオーディオを切断しておきましょう。ミュートにしているだけだと、ハウリングすることがあります。

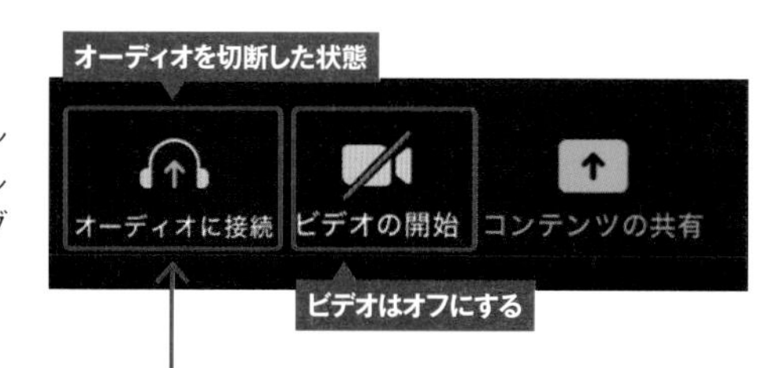

③ ミュートにしているだけだと、このアイコンが表示されます。

② 「…」をタップし、「オーディオの切断」をタップすると、切断されます。

画面共有の設定

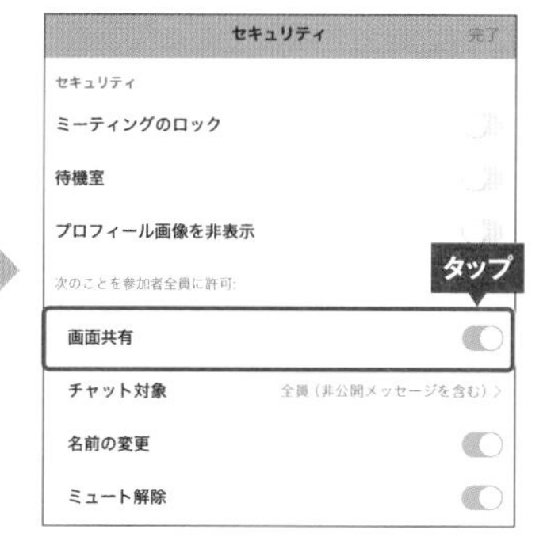

参加者が画面共有を行えるようにするために、「…」をタップして、「セキュリティ」をタップします。メニューが表示されたら、「画面共有」をタップして、チェックを入れます。これで、参加者が画面共有を利用できるようになります。

Technique 17

リアルタイム議事録のコツ

Goodnotesを画面共有で出すことで、リアルタイムに議事録を取ることができて、スムーズに会議を進行でき、終了後もそのまま議事録として残すことができます。

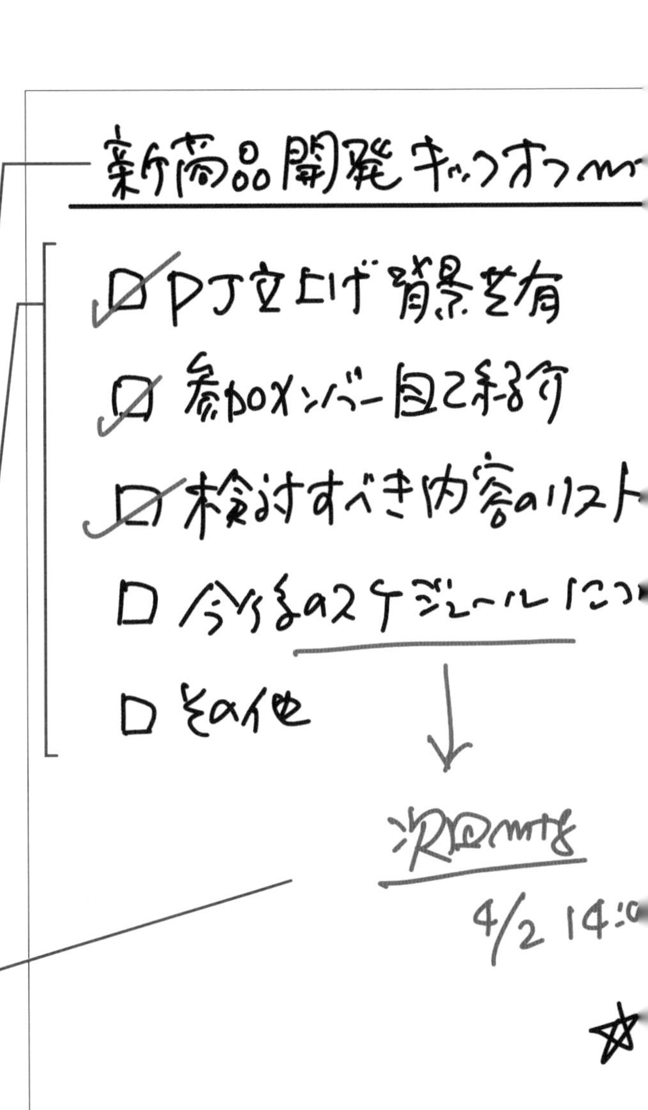

会議名

左上に会議名を書きます。

その会議のゴール

その会議で話し合う内容を最初に「見える化」しておきます。

メモ程度に書く

会議を進行しながら、参加者の発言などをメモ程度に書いていきます。

日時、参加者

右上に会議の日付や時間（開始時間・終了予定時間）、参加者の名前などを書きます。

20240327

13:00—15:00

既存？新規？　タチバさん、アサイさん

ターゲット市場

競合分析

開発のためのリリース検討

予算

スケジュール

役割分担

参加者のスクショを撮る

オンラインミーティングでは、参加者の把握が難しくなるので、スクショを撮っておくと、会議が終わったあとに振り返ることができます。

〜までに…

・ターゲット市場について各自検討

→社内チャットで共有（〜4/1）

次回mtgで議論

決定事項

会議の最後に決定したことや内容をまとめます。線で区切って、重要事項だとわかるようにしましょう。

Technique
18 わかりやすい板書のコツ

リアルタイム議事録は、その会議における議論の見える化が目的です。記録用というよりも、リアルタイムに議論を見える化し、円滑に進めるためのものと考えてください。きれいに書こうとするよりも、走り書きでかまいません。会議の最後には、その会議で決まったことや確認したことを蛍光ペンツールで強調するなどして共有します。

① 色はあまり使わない

最初から色を使うと、どこが重要なところからわかりにくくなります。会議がはじまり、さまざまな意見や考えを引き出す段階では、基本は黒い色で書くようにしましょう。

中間面談ふりかえりmtg
2023 08△△
10:00−11:00

うまくいったこと
目標の再確認できた
コミュニケーションの機会
話しやすくなった
改善案出てきた
業務配分の明確化
個人的相談できる
確認しやすい

うまくいかなかったこと
能力評価 難
業績について話せなかった
日頃から話せているので話題がない
時間配分 不足 〜 忙しい
余る…
数字目標 難

同じ意見が2回出てきたときは、下線を引いて強調します。同じ意見のほうが多いことが視覚的にわかりやすくなります。

話し合いが進んでいくなかで、重要だと思われることがわかってきたり、整理やまとめをしたりする段階になったら、丸で囲んだり、別の色を使ったりすると、わかりやすくなります。

② 余白を作る

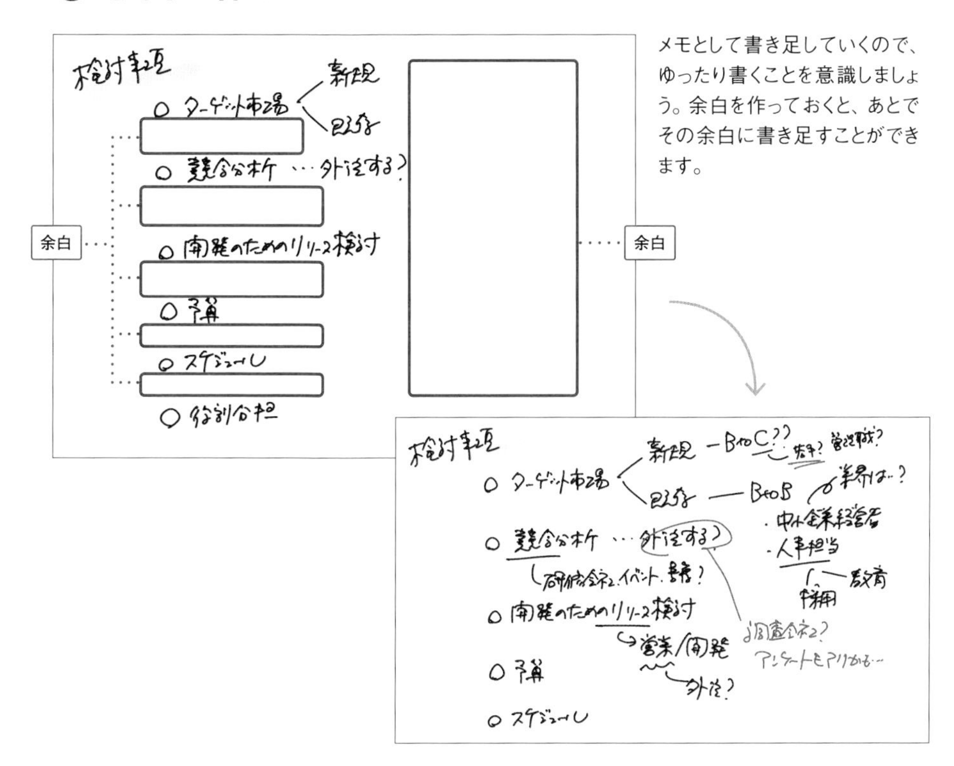

メモとして書き足していくので、ゆったり書くことを意識しましょう。余白を作っておくと、あとでその余白に書き足すことができます。

③ 聞く→確認する→書く

① 聞く

会議の内容を記録するために書くというよりは、その会議の目的に向かって議論を進めるために書くことが大切です。議論の方向性を把握するために、すぐに書き始めるのではなく、まずはしっかり聞くことが大事です。

② 確認する

聞いた内容を書く前に「○○ということでいいですか?」と発言者に確認してから書きましょう。どう書くか迷ったら、参加者に「何て書けば良いですか?」「どうまとめましょうか?」と確認したり、助けてもらいながら進行しましょう。

箇条書き+線で区切る

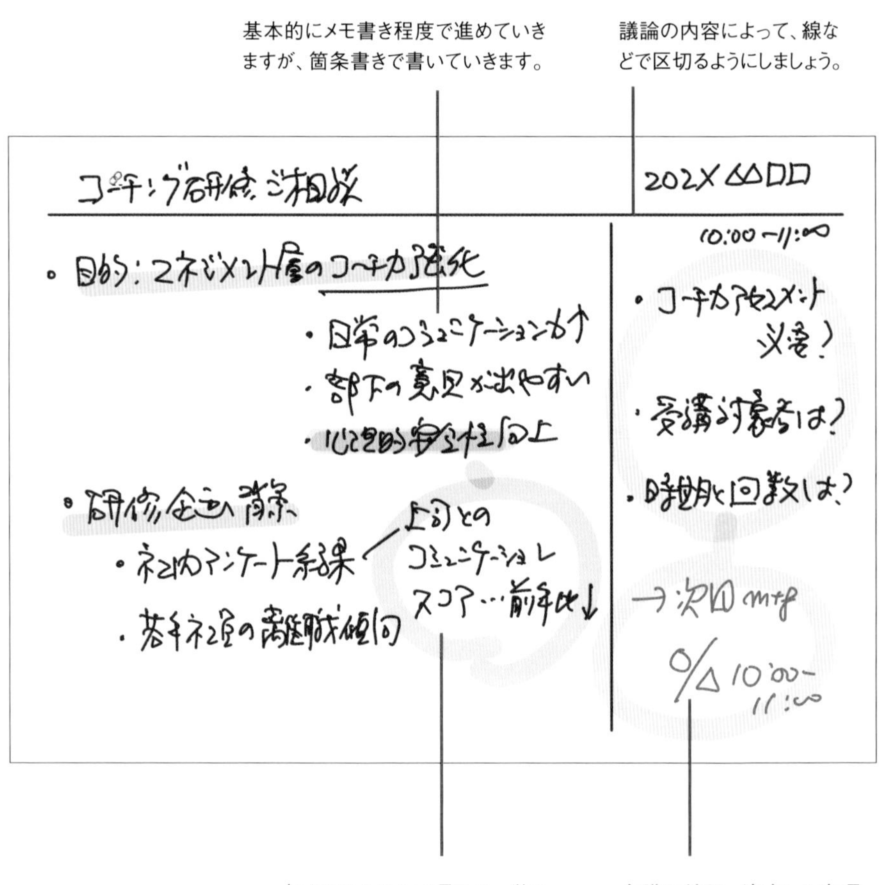

基本的にメモ書き程度で進めていきますが、箇条書きで書いていきます。

議論の内容によって、線などで区切るようにしましょう。

押さえておきたい項目や、覚えておきたい項目は蛍光ペンツールで囲むなどして強調します。

会議の結果、決定した事項も蛍光ペンツールで強調すると、後で振り返ったときに確認しやすくなります。

なげなわツールで縮小して余白を増やす

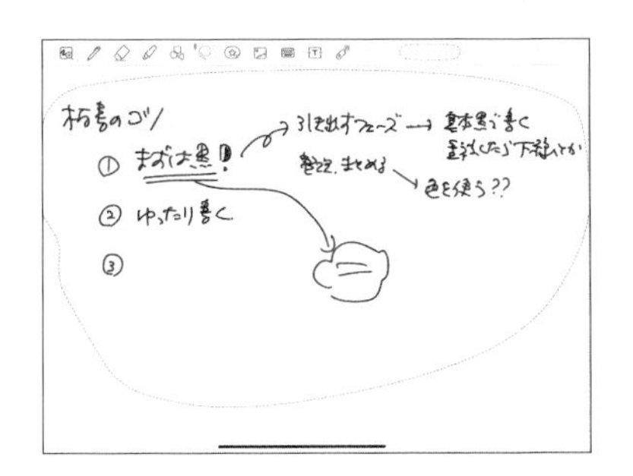

1 Goodnotesは、次のページに行くと、前のページと行き来するのが手間になることがあります。一覧で見えるようにしたい場合は、なげなわツールで板書した内容を縮小します。

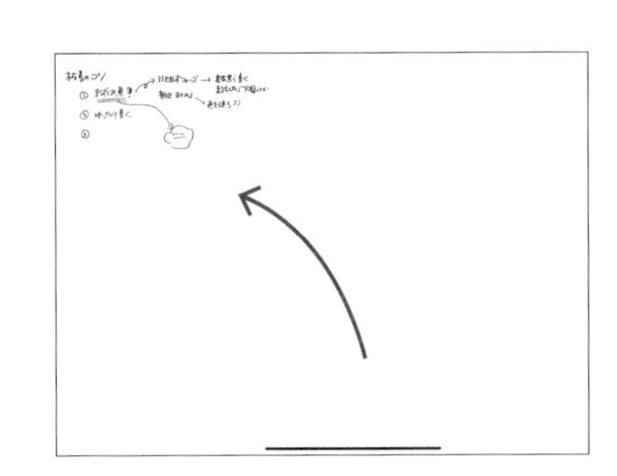

2 するとスペースができるので、同じページ内に書き足していくことができます。

参加者の似顔絵でコミュニケーション

より楽しく会議をする工夫として、参加者の似顔絵を描くのもおすすめです。Zoomの画面をスクリーンショットして、参加者の画像をノートに貼り付けます。その上から、ペンツールでなぞり、蛍光ペンツールなどで色を付けると、簡単に似顔絵を作ることができます。

スクリーンショットして画像を撮り、ノートに貼り付けます。

ペンでなぞります。見やすい色で描きましょう。

画像を消し、書いた線の色を変更します。

蛍光ペンツールで着色します。

Technique 19

Web講座の資料作りのコツ

Web講座を行う際は、パワーポイントなどに、ある程度講座の内容にそったスライドを用意すると思います。しかし、レジュメのようなパワーポイントよりも、手書きで書き込んでいくスタイルのほうが、参加者はこの先何が出てくるんだろうと楽しみながら、集中して聞けます。書き込みながら進行できる余白をもたせた資料を作りましょう。

フォーマットを作り、講座に応じて新ファイルを作る

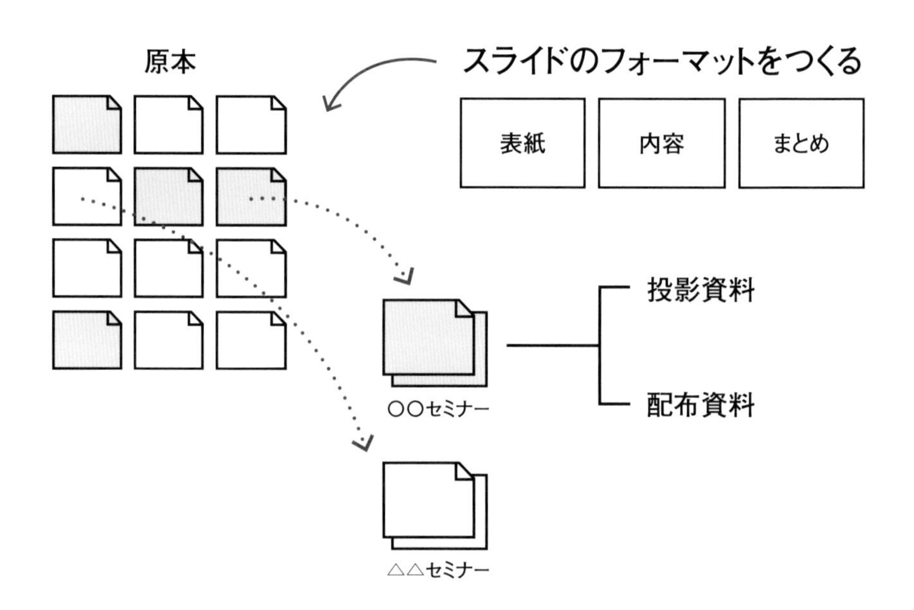

講座の資料を作るときは、まず原本となるフォーマットをパワーポイントなどで作ります。セミナーや講座によって、内容が微妙に異なるとき、その内容に応じて原本から必要なページを抜き出して、その講座用の新ファイルを作れば、何度も同じ資料を作らなくてもいいので便利です。

終了後に書き込みした資料を配布する

講座の前

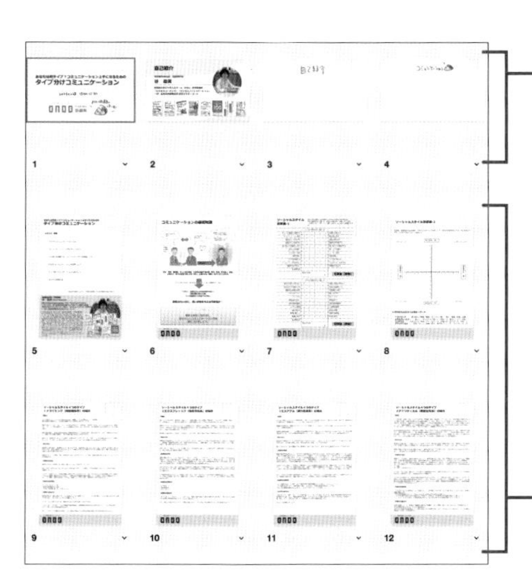

投影資料

投影資料と配布資料は別ものと考えましょう。投影資料は見せるもので、読ませるものではないため、見出しや図などを大きく見せるようにします。投影資料は事前に参加者に配布せず、講座のなかでスライドに投影します。説明しながら、書き込みもします。

配布資料

配布資料は事前に参加者に配布します。ただし、必要であれば配布資料も投影しながら説明します。講座を進めながら、講師はGoodnotesを使って書き込みをしていきます。

講座の後

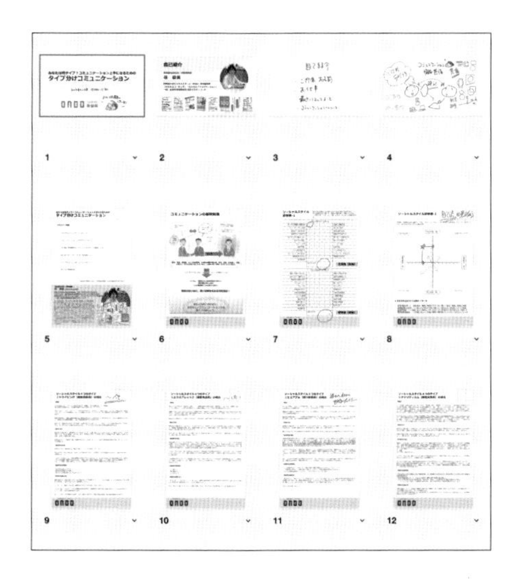

講座が終了したら、書き込みをした投影資料と配布資料もPDFにして、参加者に配布します。

見出しなど可変する要素は入れない

2. 変化を友にする「コーチング」聞く
聴く態度チェックリスト
□ 相手と程よくアイコンタクトを取る
□ うなずく、相づちをうつなど、目に見える反応を示す
□ 仕草、言葉遣い、声のトーンやスピードなど、
相手にペースを合わせる
□ 「それで？」「もっと聞かせて」など、言葉で相手の話を促す
□ 相手の言葉を繰り返して確認する

①

講座を何度も行う場合、参加者や依頼先によって内容を少しずつ変える必要が出てくることがあります。その際、見出しや通し番号などを入れてしまうと、あとでスライドを差し替えたりするときに、いちいち作り直しをする作業が発生してしまいます。スライドを作る際は、なるべく可変する要素を入れないように意識しましょう。

聴く態度チェックリスト
□ 相手と程よくアイコンタクトを取る
□ うなずく、相づちをうつなど、目に見える反応を示す
□ 仕草、言葉遣い、声のトーンやスピードなど、
相手にペースを合わせる
□ 「それで？」「もっと聞かせて」など、言葉で相手の話を促す
□ 相手の言葉を繰り返して確認する

②

左の図のように、伝える内容をシンプルにまとめておくと、必要なときにすぐに使いやすいスライドになります。

まとめのページを作る

実行を促すためのチェックリスト
□ 誰が・何を・いつまでにやるのか？
□ 進捗情報共有の仕組みは？
□ 担当者に合わせたフォローの仕方は？
□ 次回のミーティングは？
38 / 59

講座によっては、講師のほかに生徒役の方がいて対話しながら進めたり、参加者の方がチャットなどでリアルタイムに質問をしたりするパターンもあると思います。それによって、もともと用意していた内容から脱線することもあります。テーマについて必ず伝えたいことを、まとめのページに整理しておきましょう。

資料の表紙のコツ

表紙などを手描きにすると、個性的でインパクトのあるスライドになります。
簡単に描くコツを紹介します。

① 講座で使用するスライドをGoodnotesで開きます。タイトルにしたい部分をなげなわツールで囲み、「スクリーンショットを撮る」で画像として取り込みます。

② 資料の表紙のページに貼り付けます。

③ 手描きで個性的にしたい場合、例えば蛍光ペンツールで文字を書きます。

④ 蛍光ペンツールで書いた文字の縁を、ペンツールで囲むと、簡単に見栄えの良い文字になります。

蛍光ペンツールで背景を装飾

⑤ 表紙のページに貼り付けます。さらに装飾をすると、より個性的で見栄えのある表紙になります。

Technique 20

会議で使えるフレームワーク

必ずしもフレームワークを用意しておく必要はありませんが、線で区切ることで漏れなく議論がしやすくなります。さまざまなフレームワークがありますが、よく用いられるTチャートと、問題解決やアクションプランを考える際に使えるフレームワークを紹介します。

Tチャート

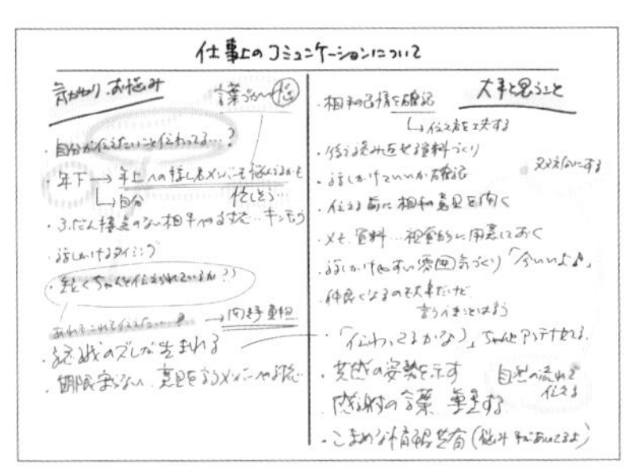

二軸で考えることができるフレームワークです。対比するものや、両サイドから考えるものについて、議論するときに使えます。

Iチャート

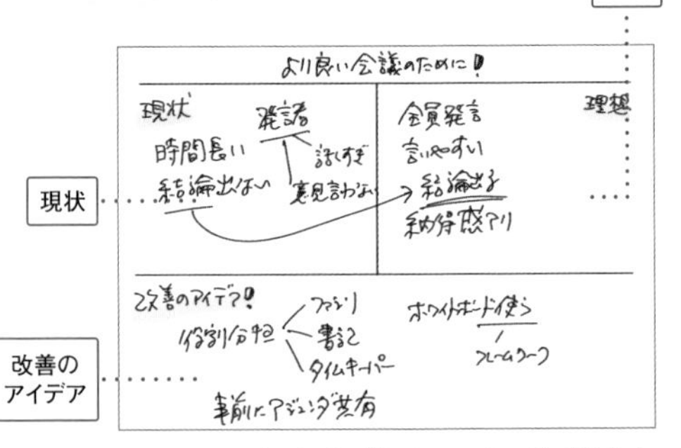

GROWモデルと呼ばれるコーチングで使われるフレームワークを応用したものです。議題に対して現状、理想、それに対して改善のアイデアと3つの枠を設定して、それをベースにして話し合いをすると、進行しやすいです。改善のアイデアは、アクションを促進するために、4W1H（Why以外のいつ、どこで、誰が、何を、どのようにするか）を意識しましょう。

アクションプラン

やることに(何を)	いつ？	誰が？	どこで？	どのように？
役割分担	会議スタート時	参加者	—	進行役、書記、持ち回りで担当する
ホワイトボード活用	次の定例会議	○○部Aさん	会議室	事前に全体アジェンダなど、会議中のメモを書く

アクションプランを考える場合は、このようなフレームワークを用いてもいいでしょう。「いつ」「どこで」「誰が」「何を」「どのようにするか」を漏れずに話し合いができます。

Part 5

紙媒体の簡単編集・ペーパーレス校正テクニック

編集者・ライター
浅井貴仁さん

Technique 21

紙媒体のラフを作成する

広報誌や社内報、または会社案内など紙媒体の制作をする際にもGoodnotesを活用することで、ラフの作成から、デザイン出し、校正まで一連の流れを効率よく行うことができます。ラフはページのどこに文章や画像を配置したいかをデザイナーに伝えるための設計図になります。画像を挿入したり、ペンツールで色を付けたり、図形ツールで図形を描くことができるので、紙に手書きするよりも、きれいでわかりやすいラフ作りができます。

ラフ用紙のテンプレートを作る

ページ数の多い冊子を作る場合、ラフ用紙やサムネイル用紙をテンプレートとして用意しておくと、ラフの作成がラクになります。

ページレイアウト

見開き（2ページ）分のラフを書けるように、画像のような図を書きます。PDFとして書き出し、用紙テンプレートとして読み込みます（16ページ参照）。

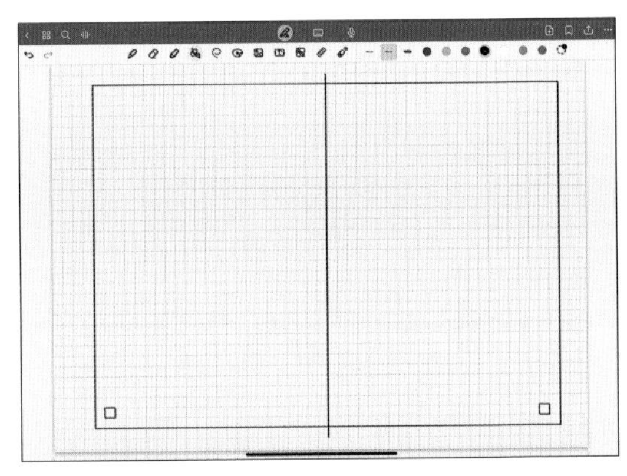

サムネイル

どのページにどんな内容が入るかが一覧でわかるように、各ページを小さなコマで作ります。

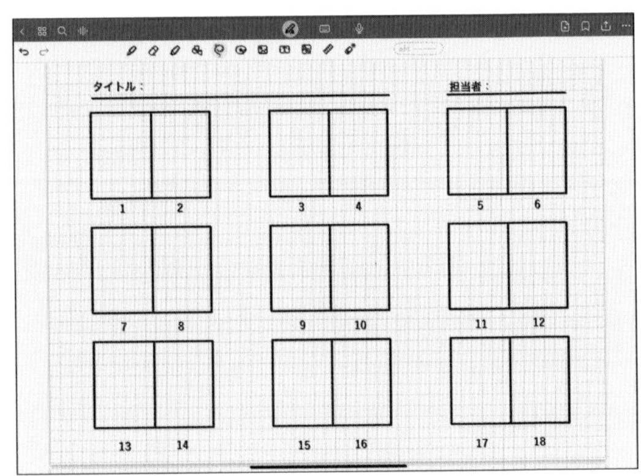

ラフを作る

テンプレートを読み込んだら、各ページのラフを手描きします。写真が入る場合は、「画像ツール」で画像を挿入します。サムネイルのラフ用紙には、見出しや文章、写真の位置がわかる程度に書き込み、ページの順番やバランスを確認します。ラフが完成したら、テキストや画像データと一緒にデザイナーに渡して、デザインを組んでもらいます。

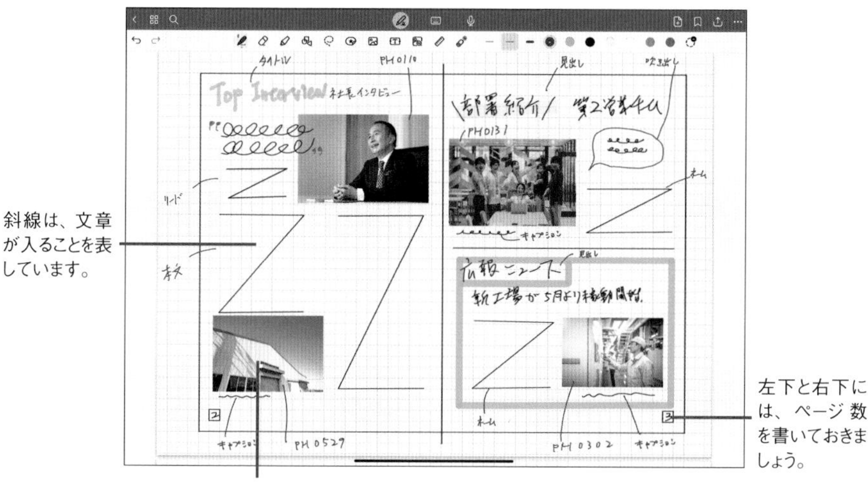

斜線は、文章が入ることを表しています。

左下と右下には、ページ数を書いておきましょう。

実際に使用する画像を挿入すると、大きさや配置がイメージしやすくなります。

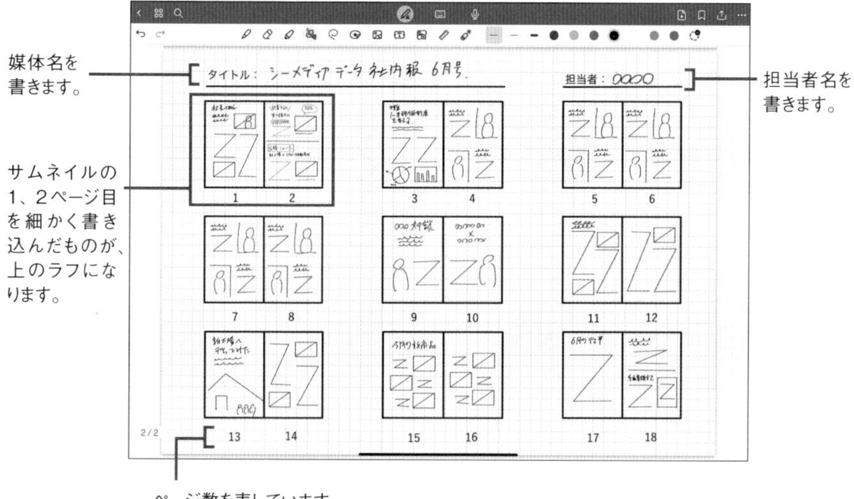

媒体名を書きます。

担当者名を書きます。

サムネイルの1、2ページ目を細かく書き込んだものが、上のラフになります。

ページ数を表しています。

Technique 22

ペーパーレス校正の準備とやり方

デザイナーから初校が上がってきたら、イメージ通りのものになっているか、確認することを校正作業といいます。Goodnotesを使って校正するための手順を紹介します。

初校をGoodnotesに取り込む

初校はほとんどの場合、PDF形式でデザイナーから送られてくると思います。
校正をするために、Goodnotes上でPDFを開きます。

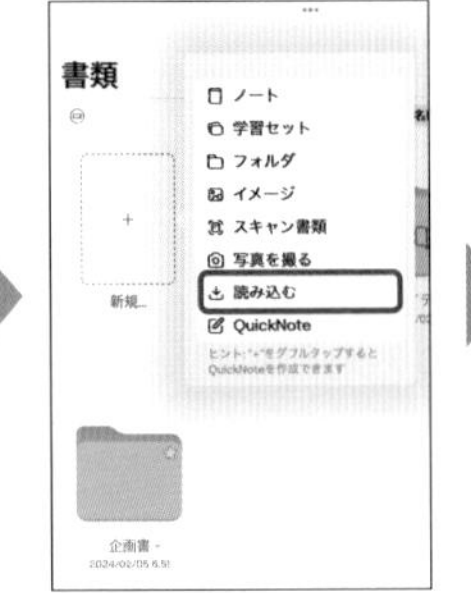

① 書類画面から新規「＋」をタップします。

② 「読み込む」をタップします。

③ 開きたいPDFを選択し、開くをタップします。

Point　余白が少ない場合は調整する

PDFに直接手書きで赤字を書き込んでいくので、余白がある程度必要になります。もしもスペースがなくて書きづらい場合は、下の2つの方法で余白を増やしましょう。

① 画面をスクショしてノートに貼り付ける

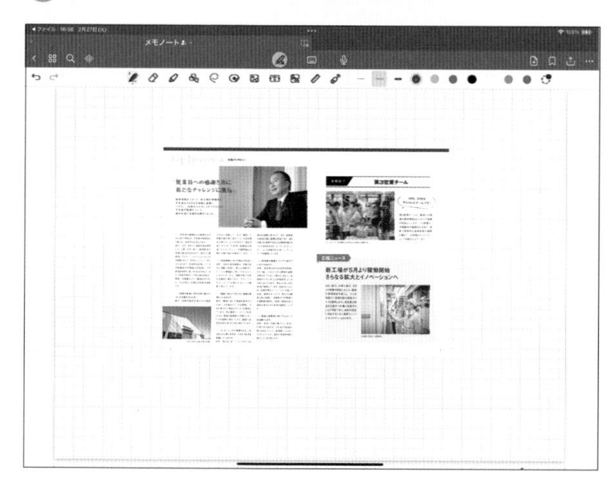

初校を開いている画面をスクリーンショットして、画像として保存します。「画像ツール」から挿入して、周りに余白ができるようにサイズを変更します。

② 「PDF余白調整」で余白を増やす

PDFの余白を広げたり、狭めたりすることができる「PDF余白調整」というアプリをダウンロードします。アプリからPDFを読み込み、矢印をタップすると、余白を増やすことができます。

Technique
23 校正して赤字を送る

校正では、レイアウトやデザインに問題がないか、誤字脱字がないかなどのチェックをします。修正をしたい箇所があれば、赤字を入れます。文章の「てにをは」や表記の統一、写真の差し替えやトリミングなどさまざまな観点から確認します。また、社内報であれば、取材対象者にも校正してもらい、その赤字も一緒にまとめましょう。赤字をデザイナーに修正してもらい、問題がなければ完成となります。

主な校正のやり方

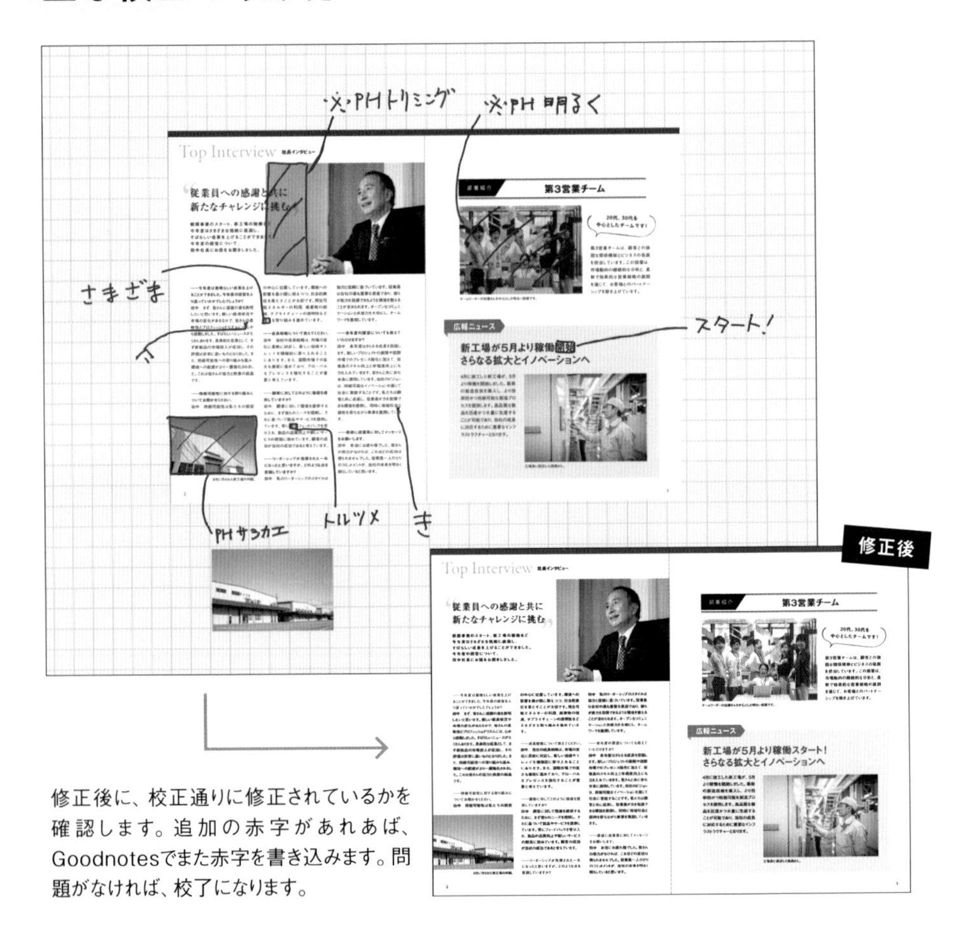

修正後に、校正通りに修正されているかを確認します。追加の赤字があればあ、Goodnotesでまた赤字を書き込みます。問題がなければ、校了になります。

クラウドアプリと連携する

初校をGoodnotesに読み込んだり、校正を書き込んだページを送るときに、毎回自分のPCにメールで送ったり、Macの場合はAirDropしたりする人が多いと思いますが、数が多くなると手間になります。DropboxやGoogleドライブなどのクラウドストレージとGoodnotesを連携させておけば、自動的に更新されるので、PCなどからすぐにダウンロードすることができます。

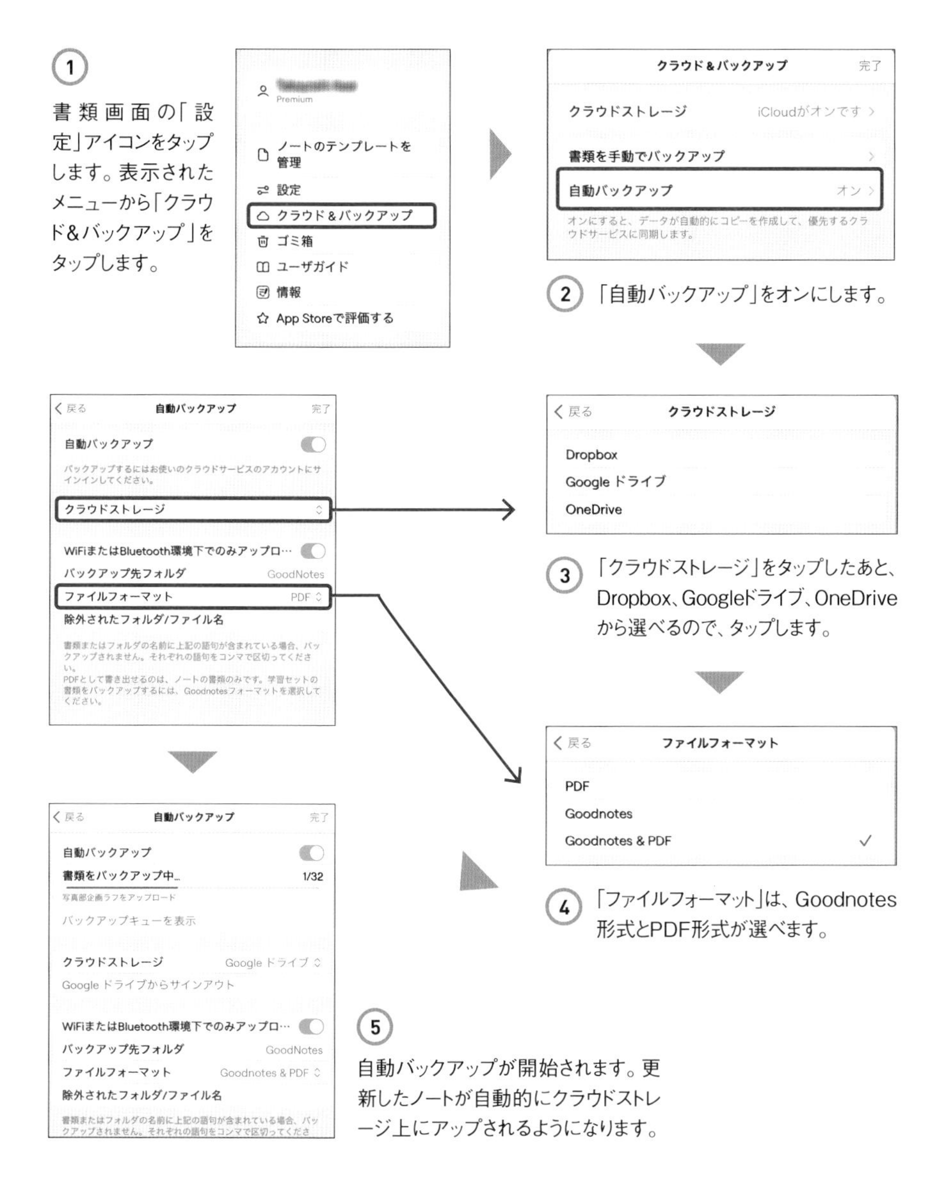

① 書類画面の「設定」アイコンをタップします。表示されたメニューから「クラウド&バックアップ」をタップします。

② 「自動バックアップ」をオンにします。

③ 「クラウドストレージ」をタップしたあと、Dropbox、Googleドライブ、OneDriveから選べるので、タップします。

④ 「ファイルフォーマット」は、Goodnotes形式とPDF形式が選べます。

⑤ 自動バックアップが開始されます。更新したノートが自動的にクラウドストレージ上にアップされるようになります。

Technique 24

ポートフォリオを作る

会社が会社案内を作るように、ライターやカメラマン、イラストレーターなど個人で仕事をしている人は、ポートフォリオを作っている人もいると思います。Goodnotesでも簡単なポートフォリオを作ることができます。

テンプレートでセンスのある表紙を作る

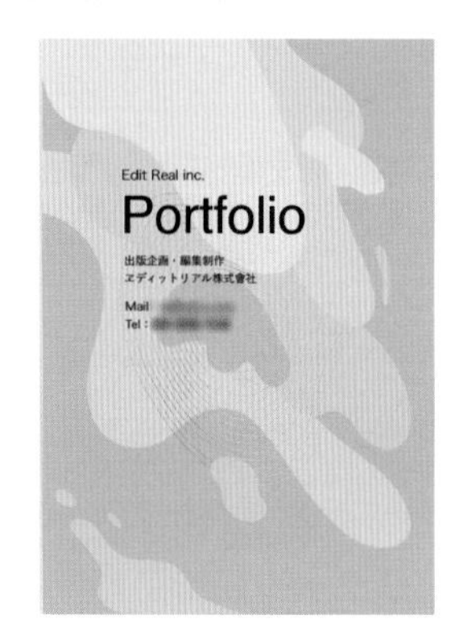

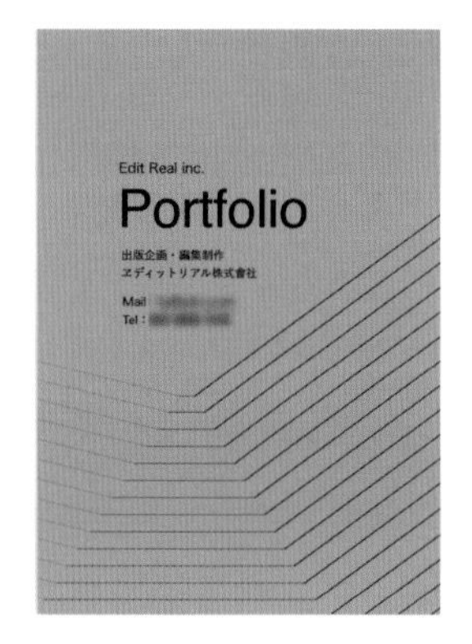

最初からプリセットされているテンプレートから選ぶだけで、センスのある表紙になります。
表紙には屋号や名前、連絡先などを書きます。

実績や手掛けた作品を並べる

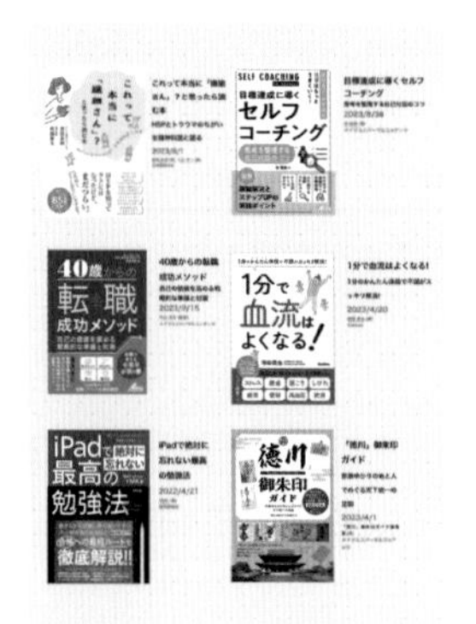

過去の実績や手掛けた作品などを並べて、概要を書きます。画像ツールで、画像を挿入して並べるだけで、シンプルで見やすいポートフォリオになります。

Part 6

Goodnotesの基本テクニック

Technique 25 ノートを作る

ノートアプリであるGoodnotesで、新しくノートを作るときは、「新規」をタップします。テンプレートを自由に変えたり、表紙をつけることもできます。

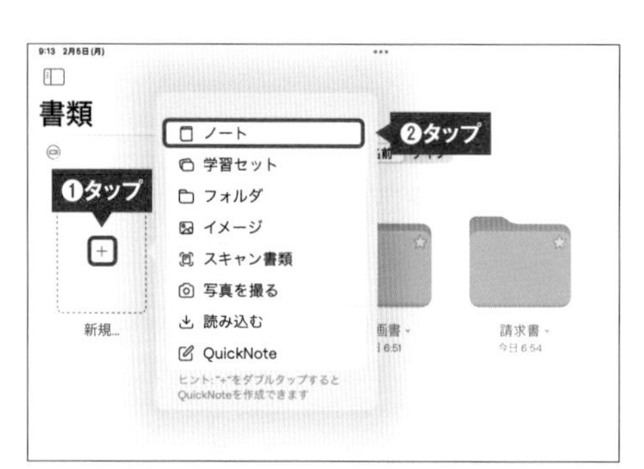

①
「新規」の「＋」をタップします。「ノート」をタップすると、新規ノートの作成画面になります。

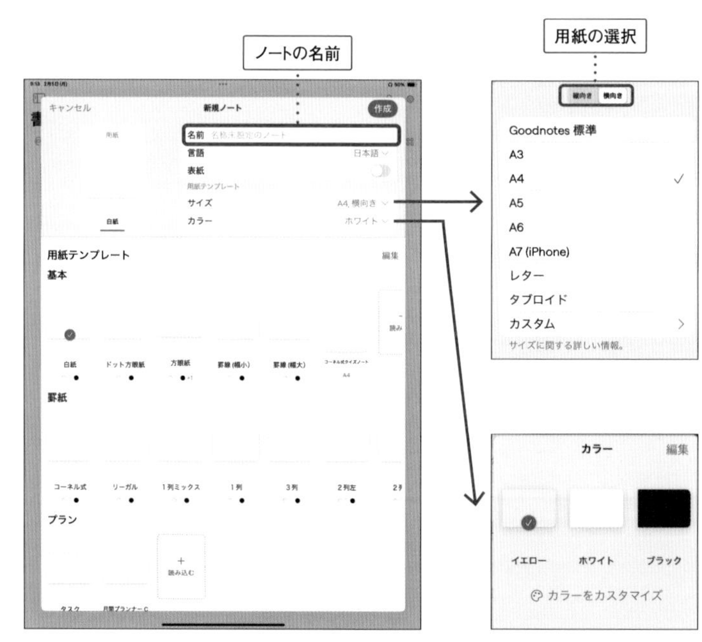

用紙は縦向き、横向き、サイズを選択できます。

カラーはイエロー、ホワイト、ブラックのほか、自由にカスタマイズできます。

②
用紙テンプレートから用紙の種類を選び、ノートの名前や言語の設定、表紙の有無、サイズやカラーを選んだら、「作成」をタップします。

ツールバーの各部の名称

ノートを開いたら、画面上部のツールバーにあるアイコンをタップすると、メモを書いたり、画像を貼り付けたりと、さまざまな機能を使うことができます。

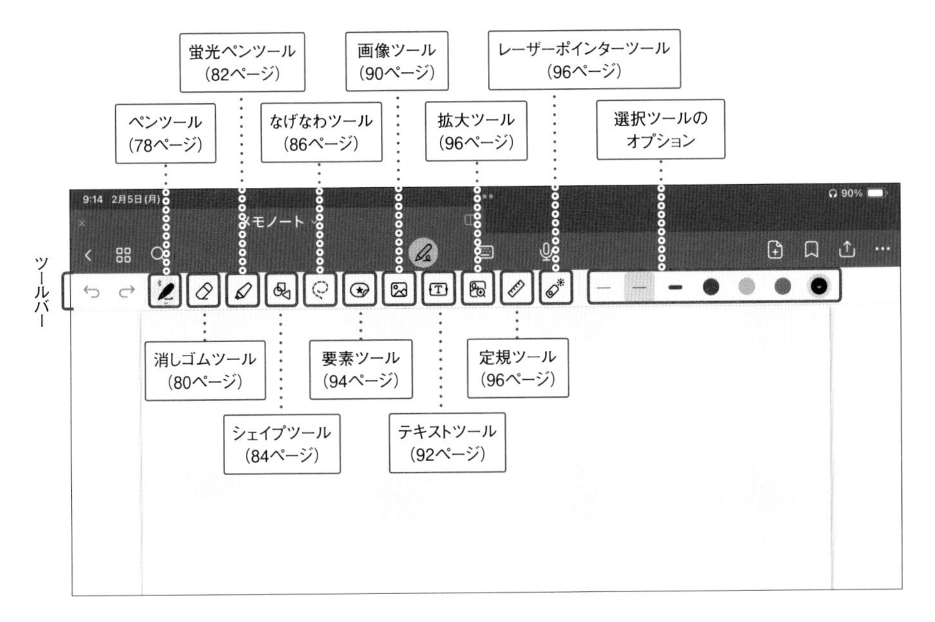

Point 「QuickNote」ですぐに作れる

急いでノートが必要なときは、「新規」の「＋」をタップしたあと、「QuickNote」をタップ（または「＋」をダブルタップ）すると、名前や表紙、用紙の種類などの選択を省略して、ノートがすぐに作れます。

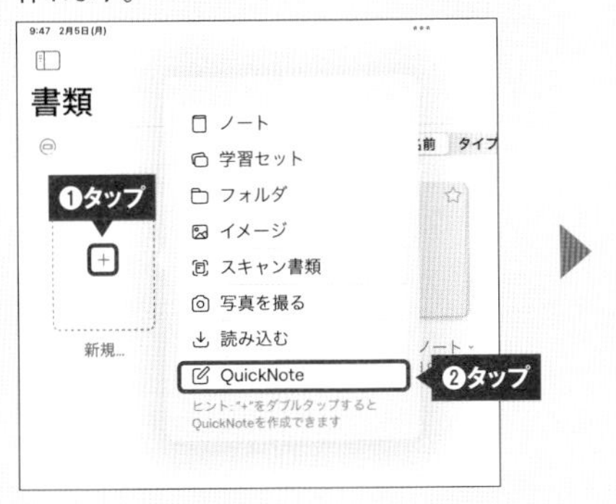

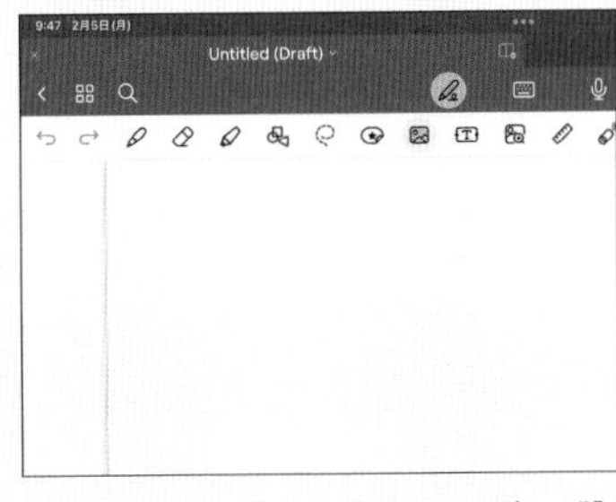

ノートのテンプレート（76ページ）の設定が反映されたノートが作成されます。

ノートのテンプレートを変更する

新規ノートを作る際に、最初に設定されているテンプレートを変更することができます。

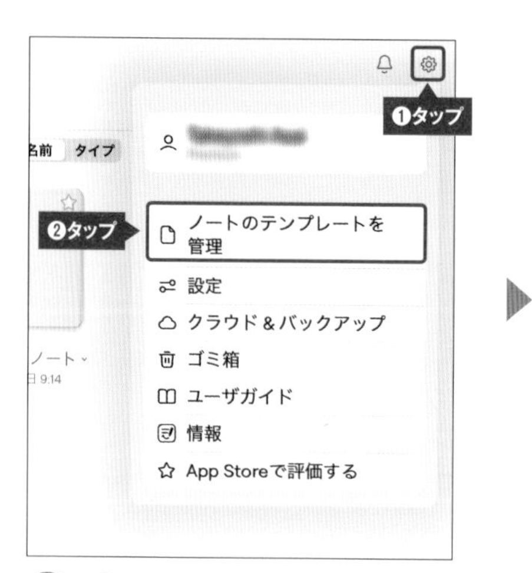

① 「書類」ページの右上にある「歯車」アイコンをタップし、「ノートのテンプレートを管理」をタップします。

② 用紙と表紙のテンプレートを変更します。

途中からでも変更可能

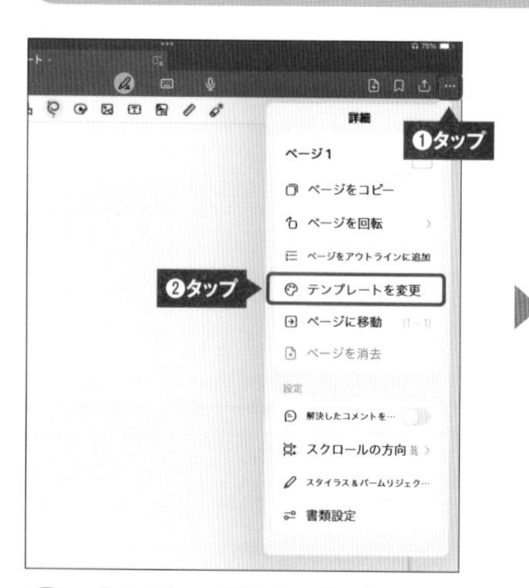

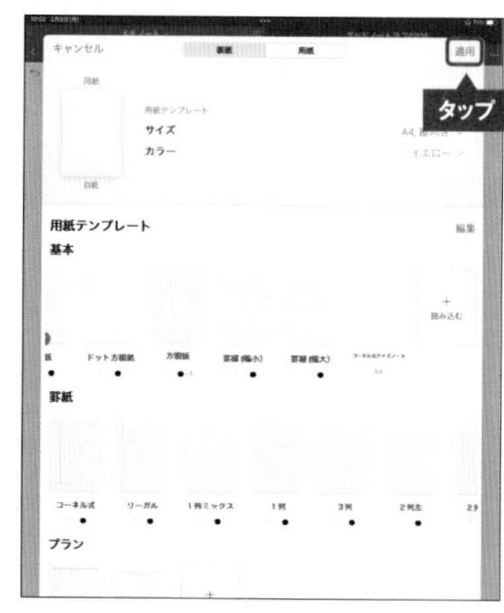

① 「ノート」ページ右上の「…」アイコンをタップし、「テンプレートを変更」をタップします。

② 変更したいテンプレートを選択し、右上の「適用」をタップすると、変更できます。

テンプレートの追加

はじめから用意されているものだけでなく、取り込んだテンプレートを追加することもできます。

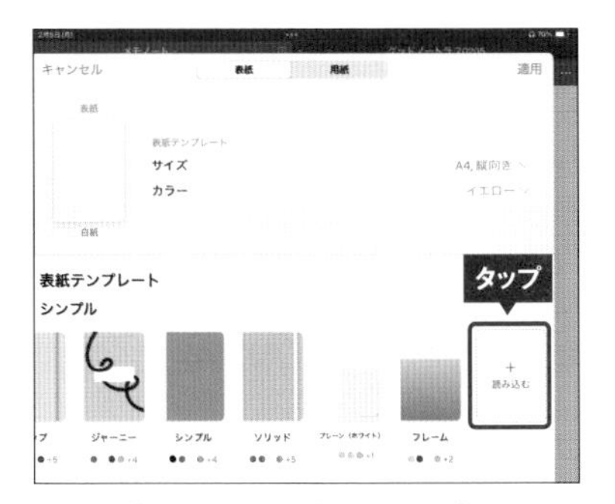

① 「読み込む」の「＋」をタップします。

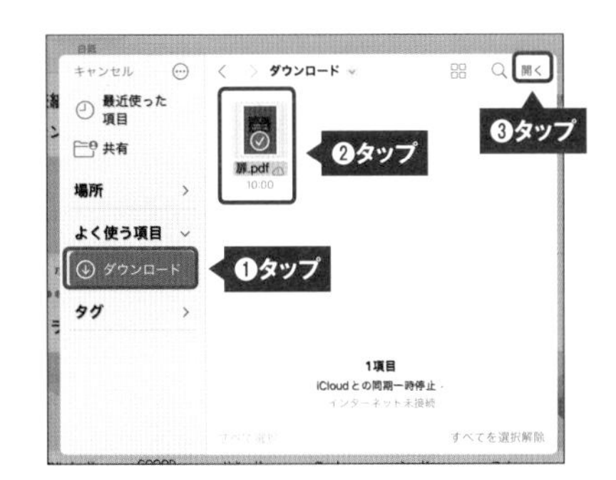

② 写真やファイルから使用したい画像を選び、「開く」をタップすると、追加されます。

表紙の設定

ノートの表紙も設定することができます。シンプルなものからカラフルなデザインまで、テンプレートが用意されています。

① 右側の「表紙」のチェックをオンにします。左側に表紙の画像が出てくるので、タップすると、下にテンプレートが表示されます。

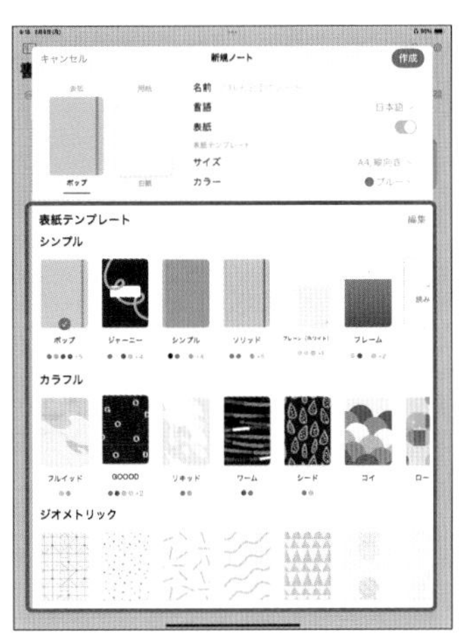

② テンプレートから選べます。「読み込む」の「＋」をタップすると、外から新たに取り込むこともできます。

Technique 26

ペンツールの使い方

ノートアプリであるGoodnotesの最も基本的な機能といえる「ペンツール」。
手書きで文字や図形を書くことができ、色や太さも自由に変更することができます。

ボールペン

万年筆

実際の万年筆のように、弱い筆圧で細い線になり、強い筆圧で太い線になります。ペン先のシャープさと筆圧感度を変えることができます。

筆ペン

実際の筆ペンのように、筆圧の強さによって、線の太さが変わります。筆圧感度を変えることができます。

描画を完全な形にする

「描画して押さえる」をタップすると、丸や四角、直線などを描いたあと、そのまま押さえたままにすると、自動できれいな形にしてくれます。

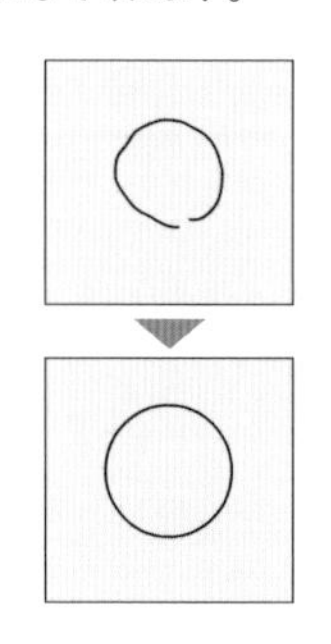

こすって消去する

「ペンのジェスチャ」をタップしたあと、「こすって消去」をタップすると、消したい部分をペンツールでこするようにすると消すことができます。

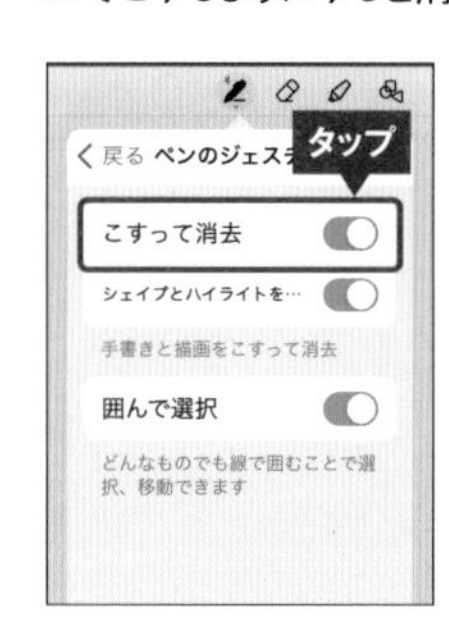

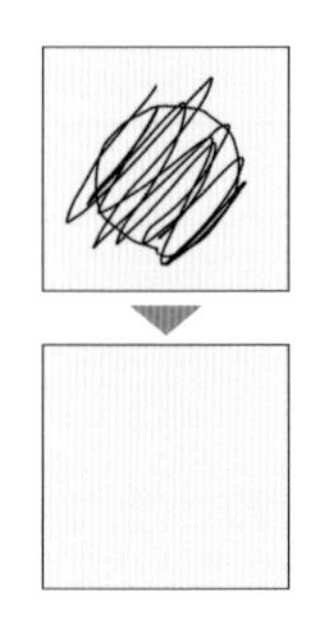

ペンのカラーを変更する

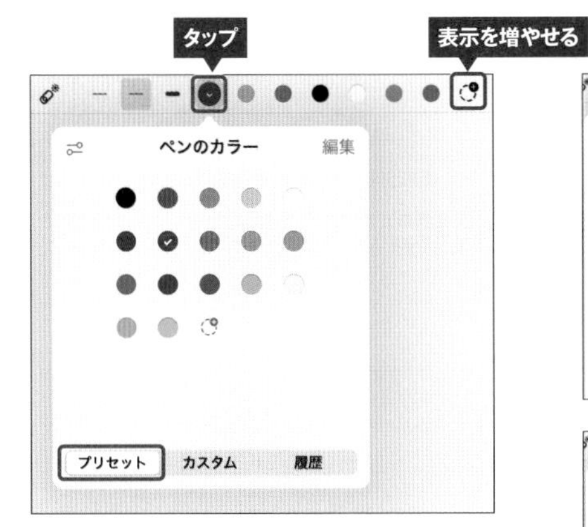

ペンのカラーをタップすると、カラーを変更できます。メニューバーにある「＋」をタップすると、表示するカラーを増やすことができます。「プリセット」はあらかじめ設定された色から選択できます。「＋」をタップすると、プリセットに表示する色を追加で登録できます。

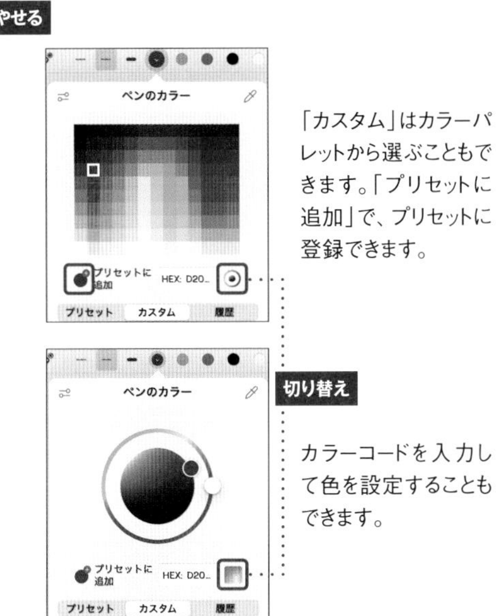

「カスタム」はカラーパレットから選ぶこともできます。「プリセットに追加」で、プリセットに登録できます。

カラーコードを入力して色を設定することもできます。

Point　破線・点線も描ける

「ペンの太さ」を長押しすると、ストローク設定を変更できます。実線のほかに、破線・点線が選べます。ペンの太さはスライドで変更できます。

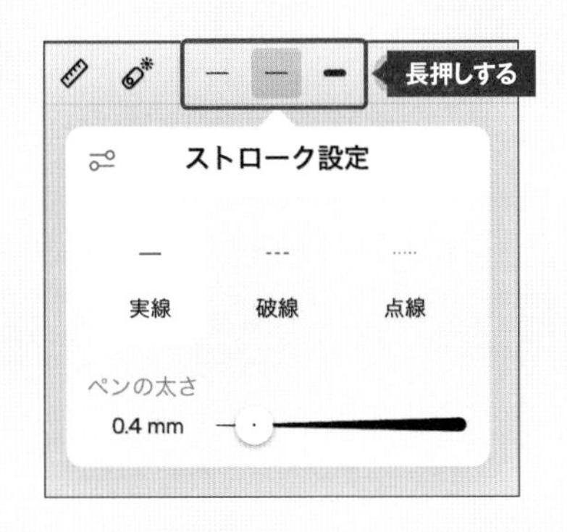

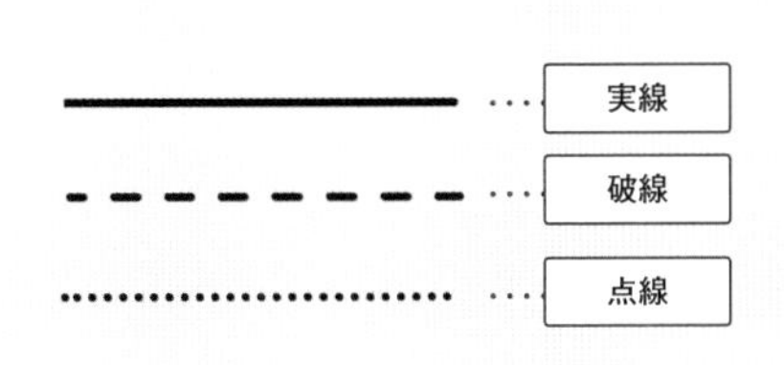

Technique 27

消しゴムツールの使い方

「消しゴムツール」はノートに書いた文字や図形、蛍光ペンなどを消すためのツールです。蛍光ペンだけを消す、ページを消去することも選択できます。

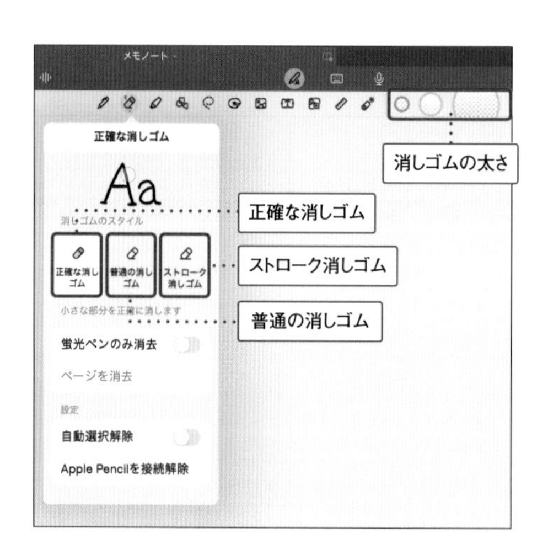

正確な消しゴム

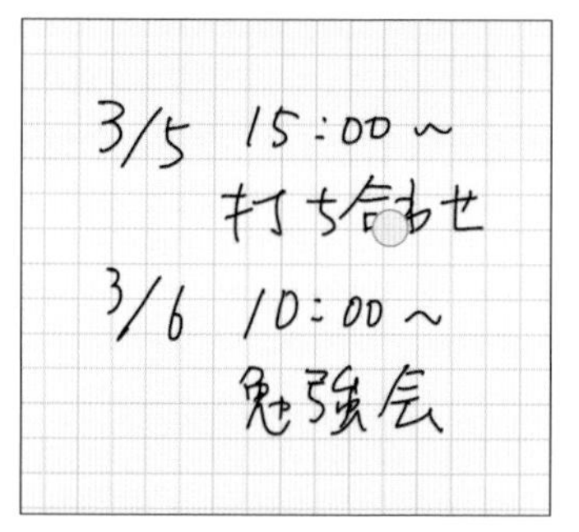

普通の消しゴムよりも、小さな部分まで正確に細かく消すことができます。

普通の消しゴム

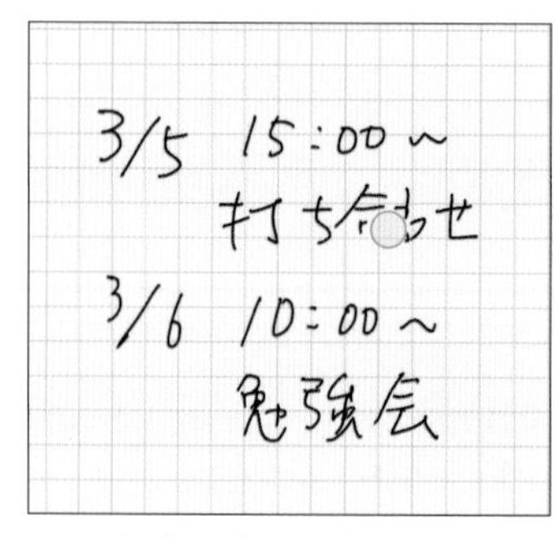

ペンでなぞった部分を効率的に消すことができます。

ストローク消しゴム

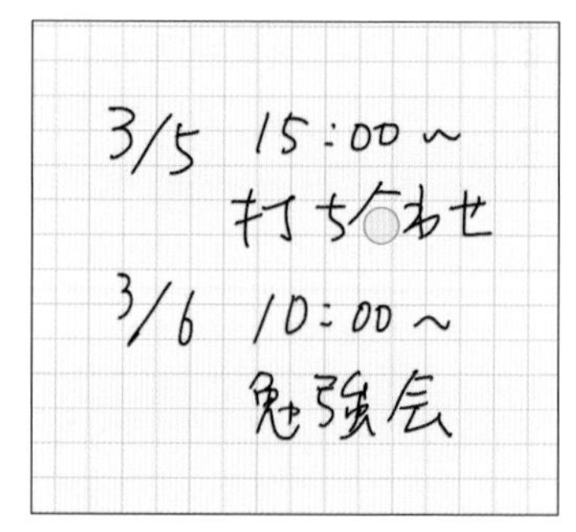

一度タッチするだけで、ひと筆（ペンを画面につけてから離すまで）で書いた線をまとめて消すことができます。

消しゴムの太さを変更する

太さはアイコンをタップすると、小中大の3種類から選択できます。

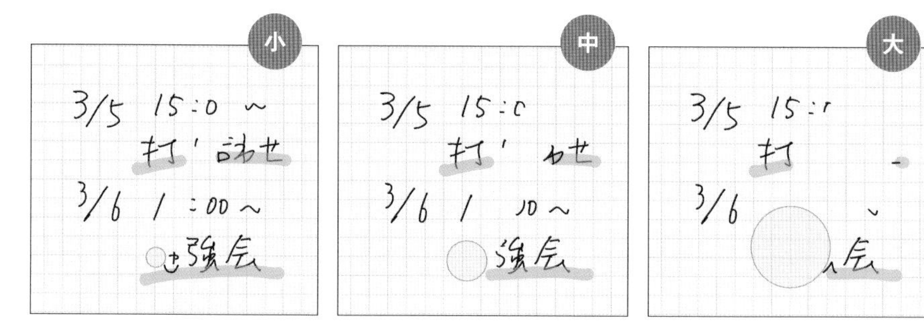

蛍光ペンのみ消去

「蛍光ペンのみ消去」をタップして、オンにすると、蛍光ペンで書いた線のみ消すことができます。それ以外のペンツールで書いた線は消えません。

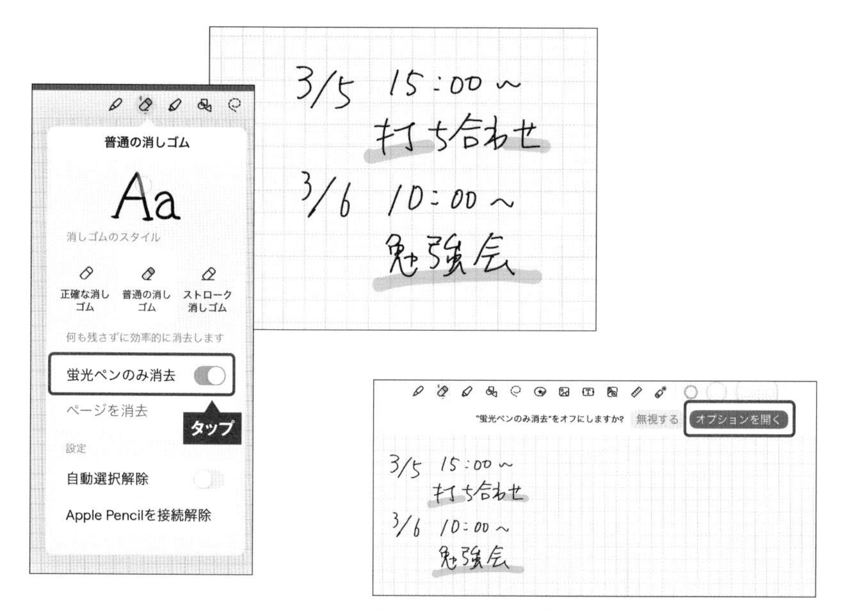

蛍光ペン以外の場所をタッチすると、オフにするかどうか聞かれます。「オプションを開く」をタップすると、消しゴムツールのメニューが開きます。

Technique 28

蛍光ペンツールの使い方

蛍光ペンのような文字や図形を書くことができるツールです。
ペンツールと同じように太さやカラーを自由に選択することができます。

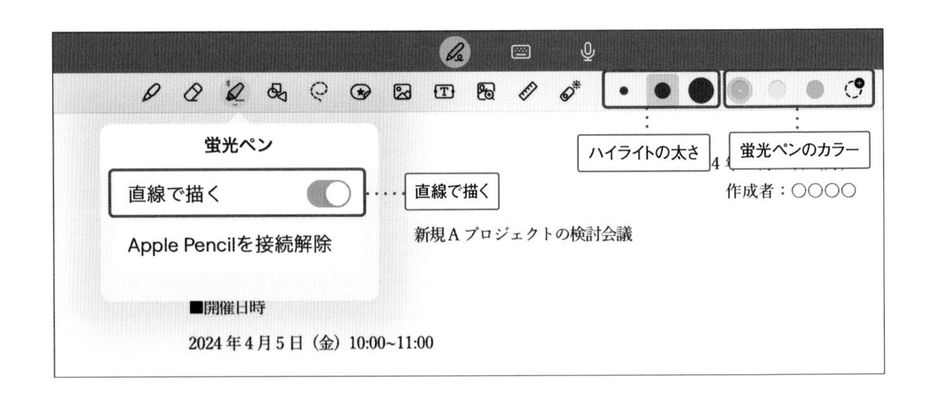

直線で描く

オンにすると、蛍光ペンで線を描いたあと、しばらくペンを画面に置いたままにしておくと、自動で線をきれいにしてくれます。

直線で描くをオン

■開催日時

2024年4月5日（金）10:00~11:00

■出席者

営業部：○○課長、○○係長

マーケティング部：○○課長、○○係長

直線で描くをオフ

■開催日時

2024年4月5日（金）10:00~11:00

■出席者

営業部：○○課長、○○係長

マーケティング部：○○課長、○○係長

蛍光ペンのカラー

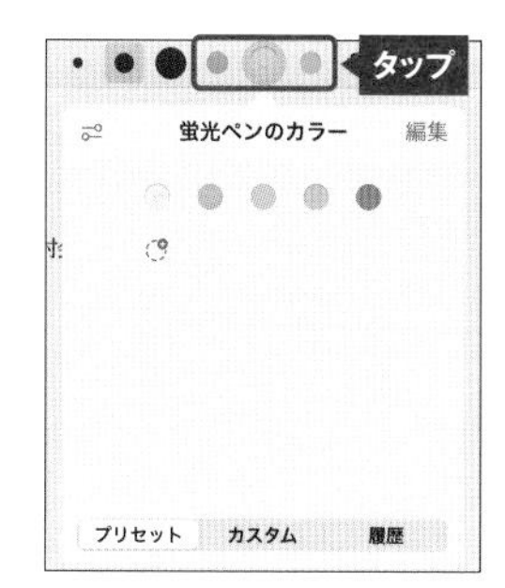

メニューバーの各色をタップするとカラーを選択できます。ペンツールと同様に、プリセットから選べるほか、カスタムすることができます。

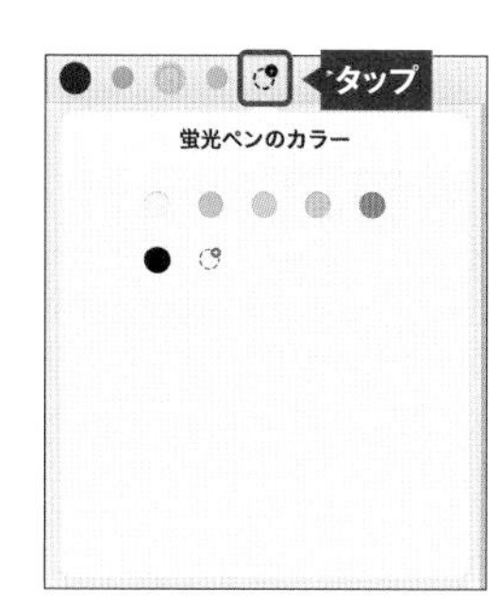

「＋」をタップすることでも、新しいカラーを登録することができます。

ハイライトの太さ

蛍光ペンの太さは3つまで設定することができます。それぞれ、スライドさせて太さを変えることができます。

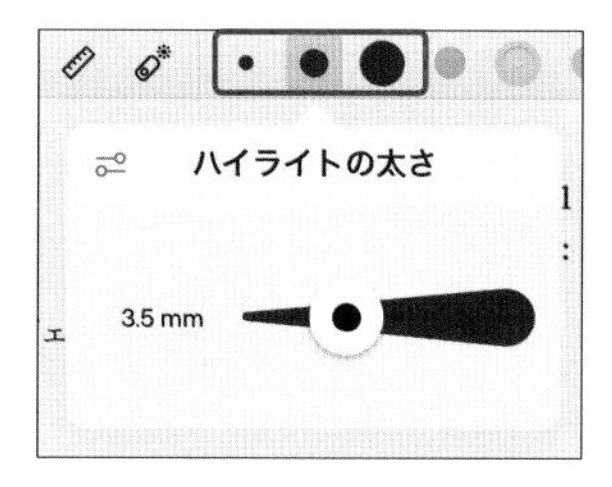

Point スポイトツールでノート上の色を選択できる

カラーを登録するときに、ノート上の図や写真などから、色を取り込むことができます。「蛍光ペンのカラー」をタップしたあと、カスタムを選んで、右上の「スポイトツール」をタップします。ノート上の好きな色の上にペンを置き、画面からペンを離すとその色が抽出されます。「プリセットに追加」をタップすると、登録できます。

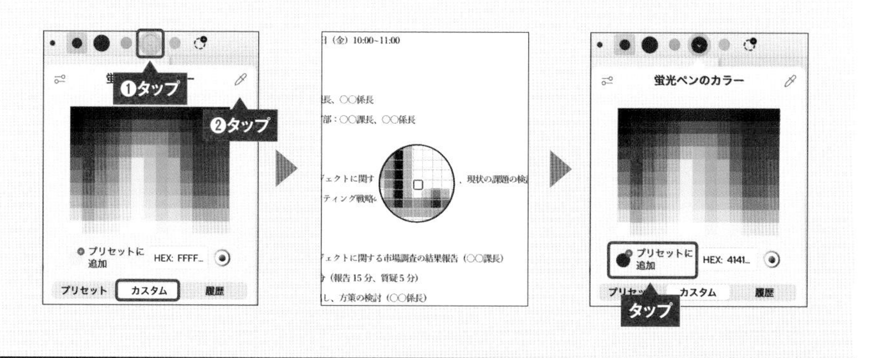

Technique

29 シェイプツールの使い方

手描きの線や丸を整えて、きれいな直線や円にしてくれるツールです。「ペンツール」でも「描画して押さえる」で線などをきれいにしてくれる機能がありますが、より図形として認識して修正してくれます。

シェイプツール

設定

"押したままにしてスナッ…

詳細オプション

他の形にスナップ

塗りつぶしのカラー

Apple Pencilを接続解除

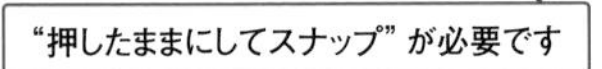

"押したままにしてスナップ"が必要です

水平・垂直の線が認識されやすくなり、より補正の効果があります。

他の形にスナップ

塗りつぶしのカラー

描いたあと、しばらくキープする

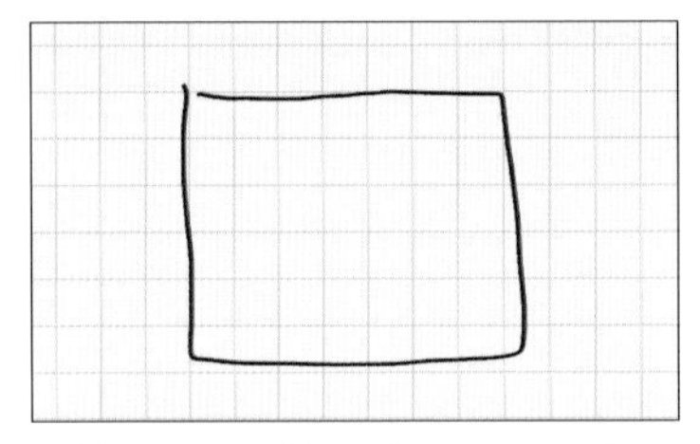

手描きで図形を描きます。そのまま画面からペンを離さないでおきます。

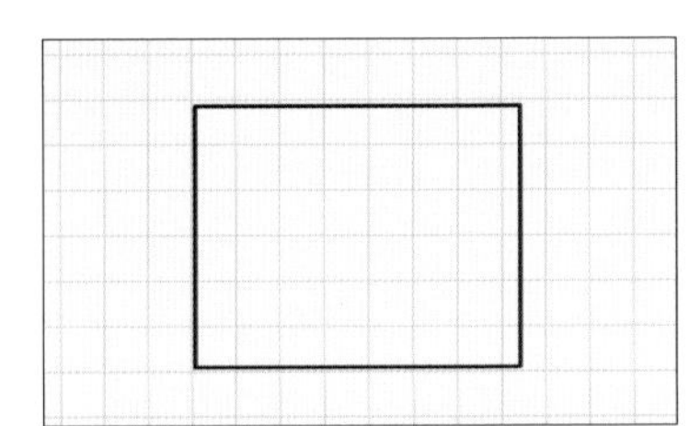

すると、パッと自動できれいな線に修正してくれます。

他の形にスナップ

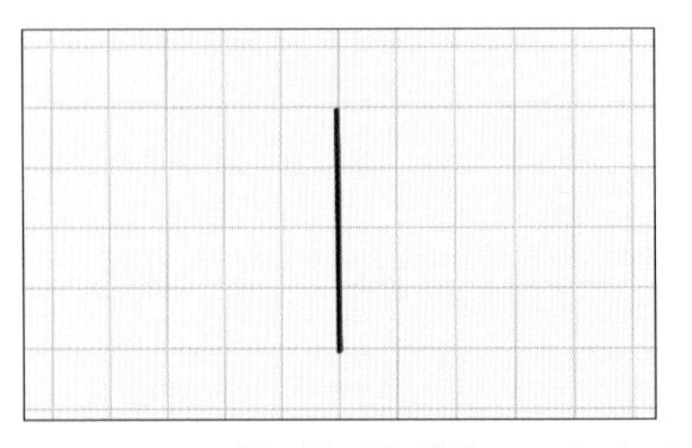

オンにすると、線と線が自動的につながります。オフにしていると、すき間ができます。

塗りつぶしのカラー

オンにすると、図形を描いたときに、そのなかを自動的に色で塗りつぶしてくれます。色は、線のカラーに合わせて自動的に決まります。

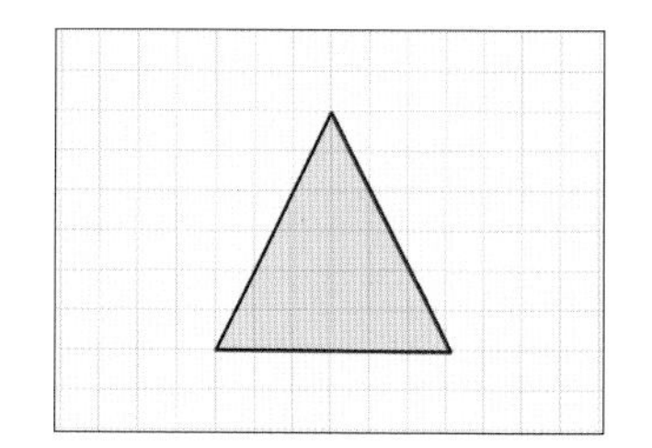

Point　「取り消し」で枠線だけ消せる

「塗りつぶしのカラー」で図形を描いたあと、メニューバーにある「取り消し」をタップすると、線が消えます。枠線だけ消したいときに便利です。

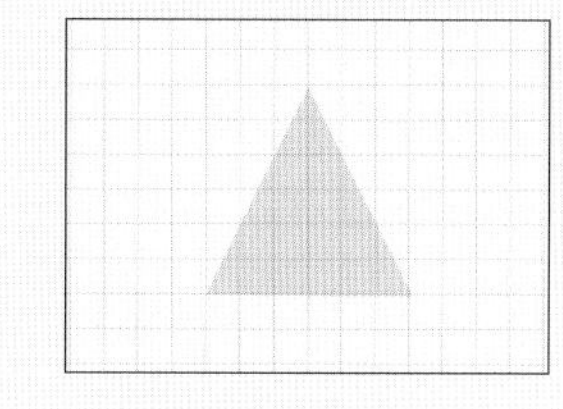

ストローク消しゴムで塗りつぶしを消す

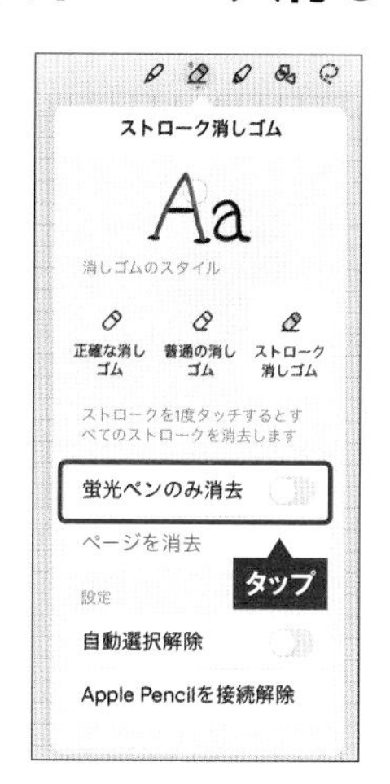

塗りつぶした色だけを消したいときは、「消しゴムツール」の「蛍光ペンのみ消去」をオンにすると、消すことができます。

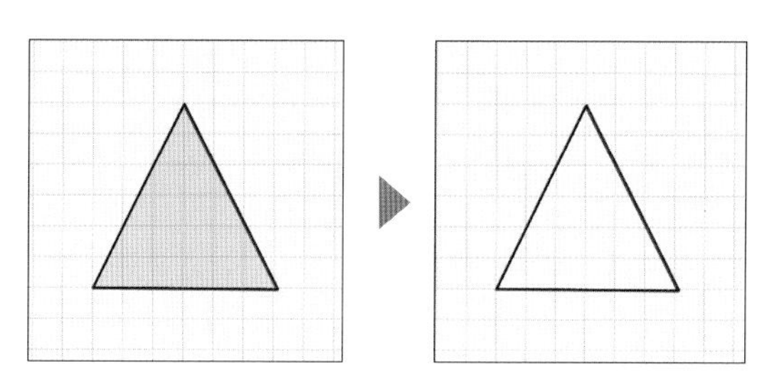

ペンでタップして修正

一度図形を描いたあと、ペンを離してもう一度線をタップをすると、ポインタが現れます。それを動かすことで大きさや形を変えることができます。

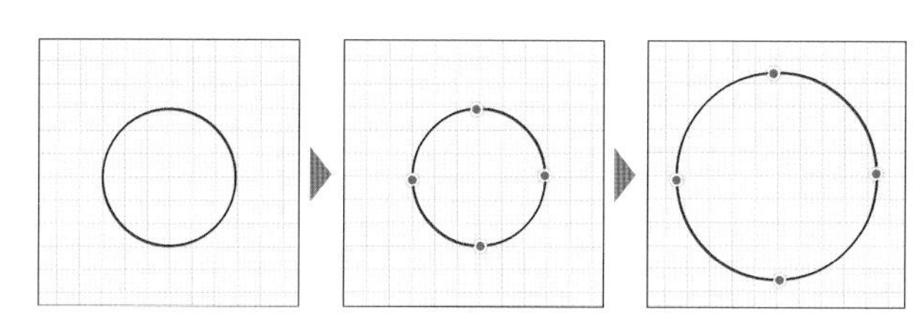

Technique
30 なげなわツールの使い方

手書きの文字や図形、画像などのオブジェクトを移動させたり、編集できます。名前の通り、オブジェクトをペンで囲むと点線が表示されます。その状態でタップすると、カットやコピー、サイズ変更などさまざまなことができます。

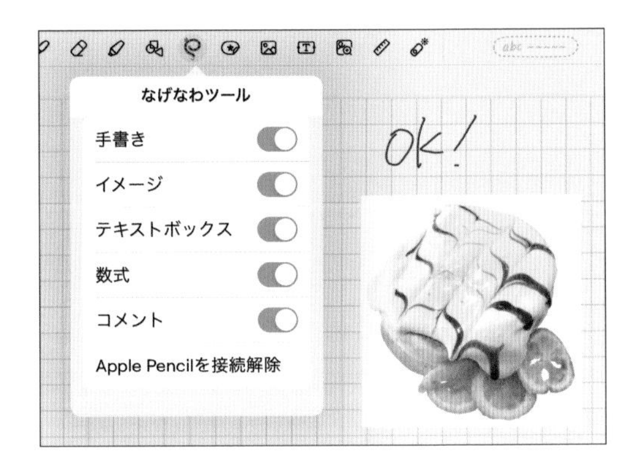

手書き

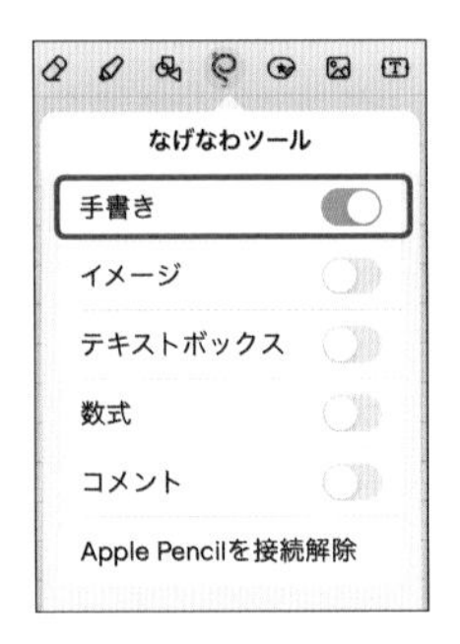

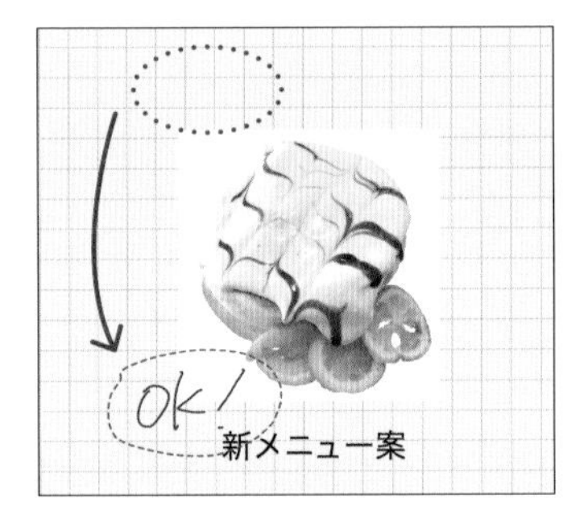

手書き文字や図形を選択できるようになります。

イメージ

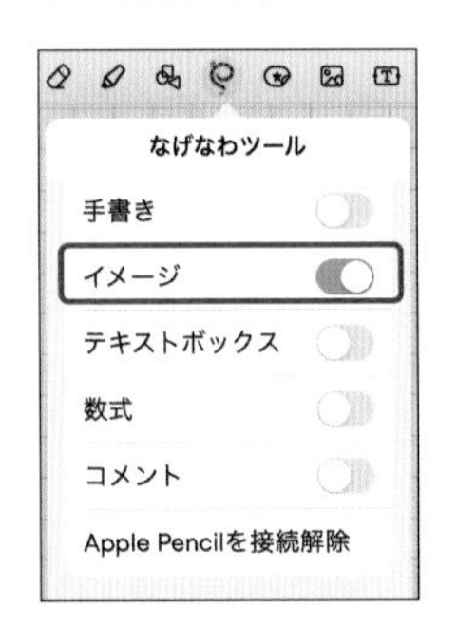

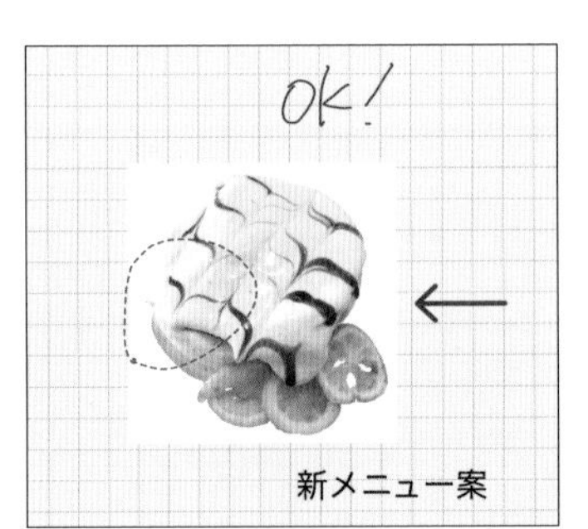

画像などを選択できるようになります。

コメント

PDFなどに書き込んだコメントを選択できるようになります。

テキストボックス

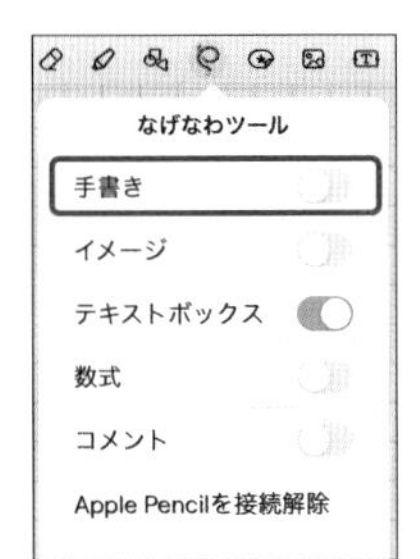

テキストボックスで入力した文字を選択できるようになります。

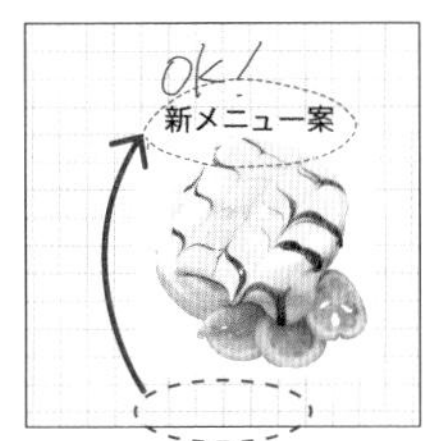

囲んでタップしたあと編集する

なげなわツールで編集したいオブジェクトを囲みます。そのあとにタップをすると、さまざまなメニューが表示されます。

移動する

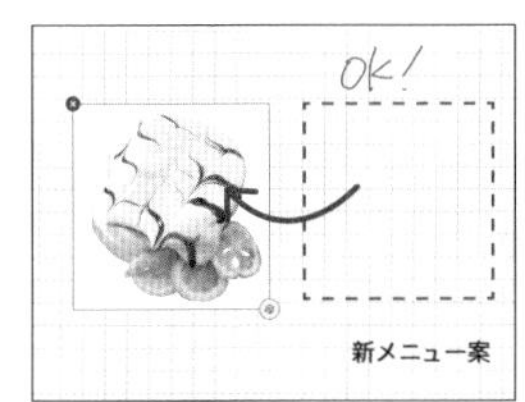

ペンを画面から離さずに動かすと、オブジェクトを移動させることができます。

カットする

「カット」を選択すると、オブジェクトを消すことができます。もう一度タップして「ペースト」を選択すると、カットしたオブジェクトを貼り付けることができます。

コピーする

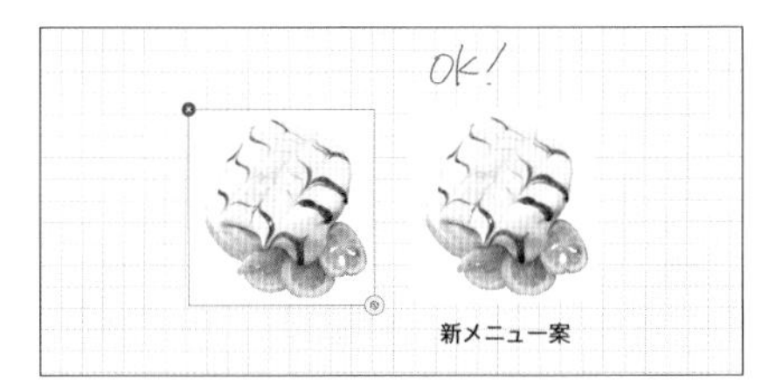

「コピー」を選択すると、オブジェクトをコピーします。もう一度タップして「ペースト」を選択すると、コピーしたオブジェクトを貼り付けることができます。

並び替えをする

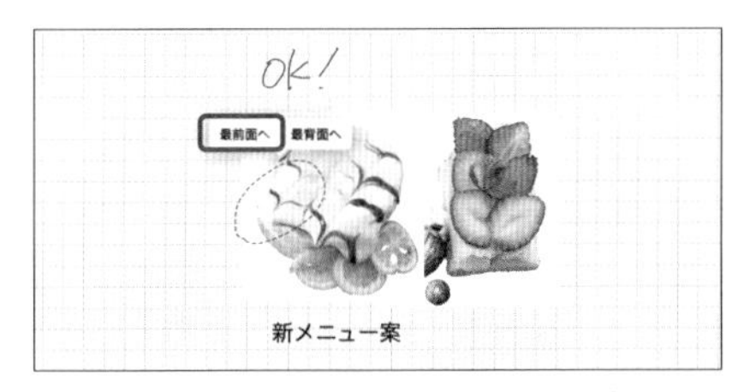

「並び替え」をタップすると、「最前面へ」「最背面へ」と表示されます。「最前面へ」をタップすると、すべてのオブジェクトの一番上（前面）に表示されます。「最背面へ」をタップすると、一番下（背面）に表示されます。

サイズを変更する

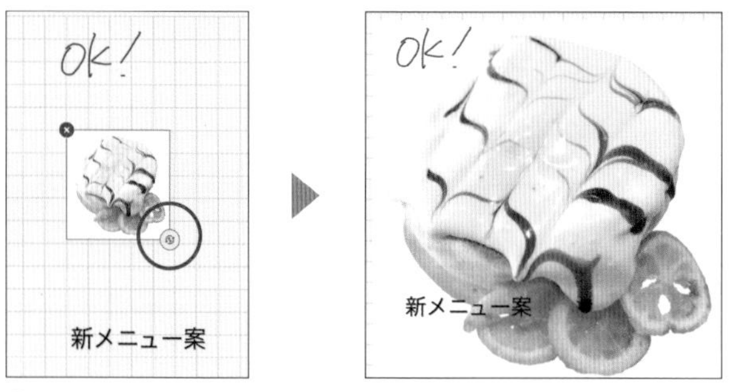

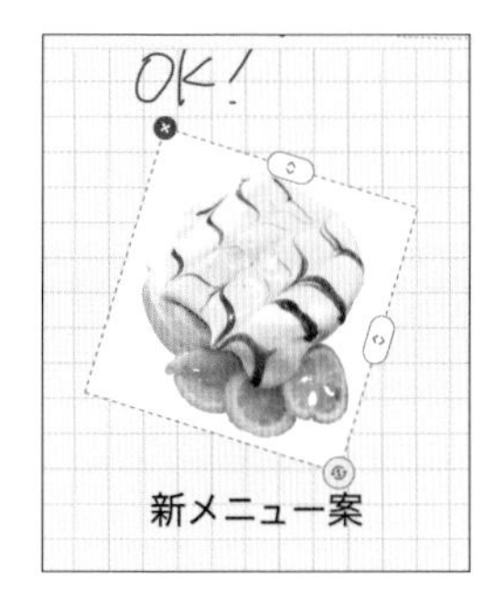

「サイズを変更」をタップすると、右下に拡大縮小のアイコンが出ます(オブジェクトはタップするだけでも拡大縮小のアイコンが出ます)。文字や画像の大きさを変えたり、回転させたりできます。

スクリーンショットを撮る

「スクリーンショットを撮る」をタップすると、なげなわツールで囲んだ部分を画像として保存できます。
右上の「共有アイコン」をタップすると、コピーや保存、プリントなどを選択できます。

要素に登録する

「要素を追加」をタップすると、そのオブジェクトを要素ツールに登録できます。

カラーを変更する

「カラー」をタップすると、カラーパレットが表示されます。手書きの文字や図形のカラーを変更できます。

テキストに変換する

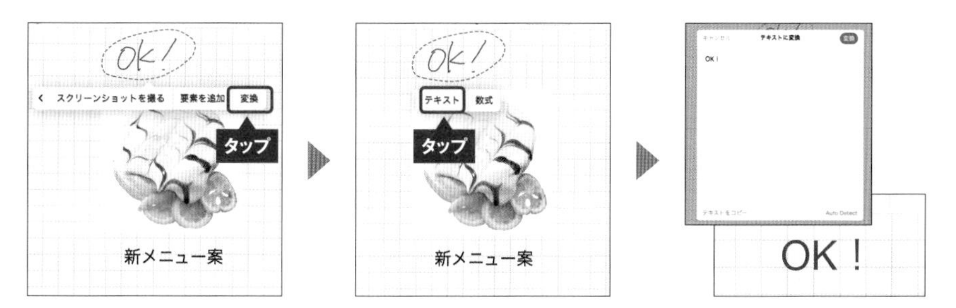

「変換」→「テキスト」をタップすると、手書きの文字をテキスト化することができます。

数式に変換する

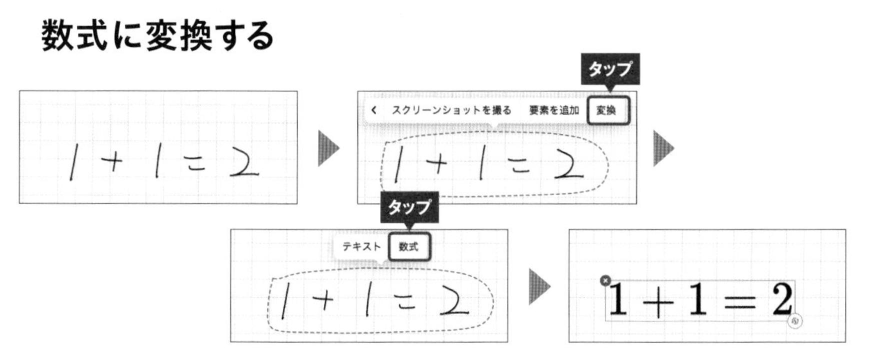

「変換」→「数式」をタップすると、手書きの数式をテキスト化することができます。

Technique 31

画像ツールの使い方

タブレット内の画像をノートに挿入できます。画像はサイズや角度を変えたり、トリミングすることができます。

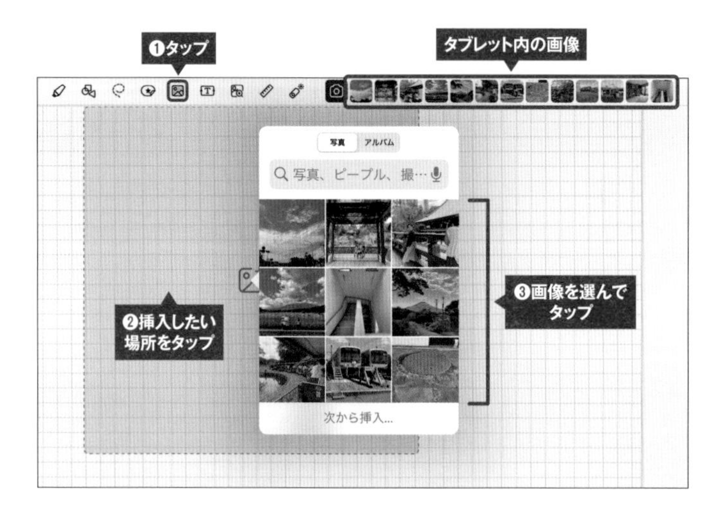

① 挿入したい場所をタップすると、画像の一覧が出るので、画像を選んでタップします。

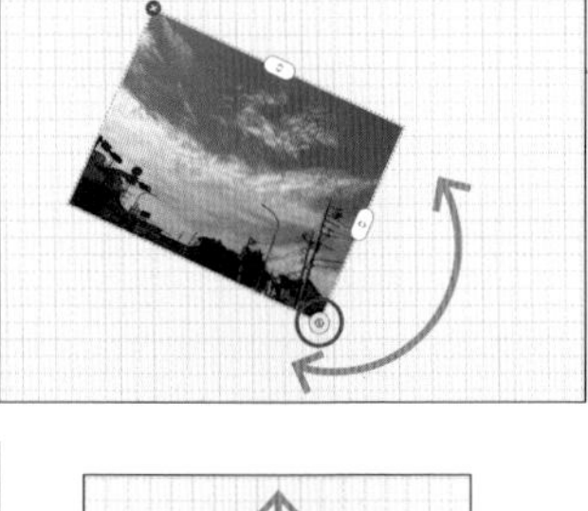

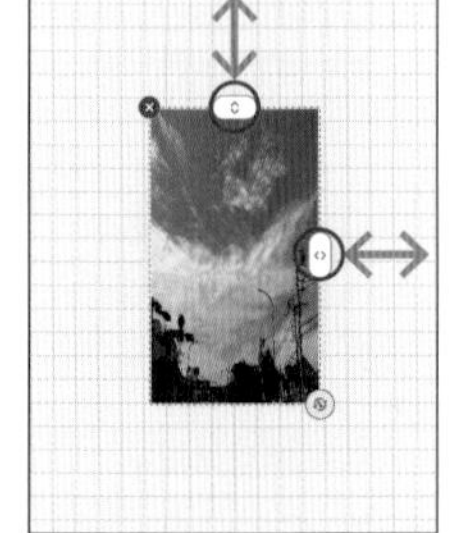

② 画像はいつでもサイズや角度を変更できます。

画像をトリミングする

トリミングとは、画像を好きな形に切り抜いて加工することです。画像をタップして、表示されるメニューから「トリミング」を選択します。

①四角くトリミング

「Rectangle」をタップし、四角い枠線上の点を移動させて切り抜くことができます。

②フリーハンドでトリミング

「Freehand」をタップし、切り抜きたい部分をペンでなぞって囲むと、切り抜くことができます。

次から挿入

iPadのiCloud Driveや、Dropboxなどのクラウドサービスから画像を挿入することもできます。

撮影した画像を取り込む

カメラアイコンをタップして、カメラ機能で撮影した画像を取り込むこともできます。

Technique
32 テキストツールの使い方

テキスト文字を入力することができるツールです。基本的にキーボードから入力しますが、手書きの文字をテキストに変換することもできます。

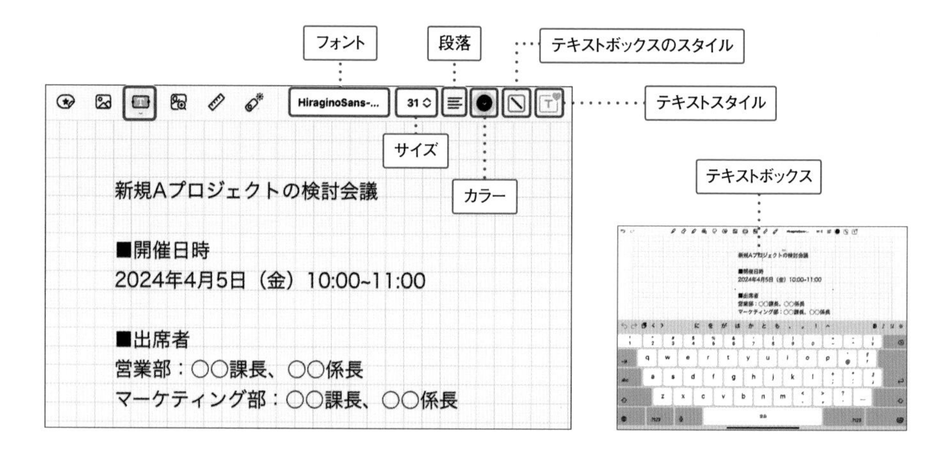

フォントを設定する

設定されているフォントのなかから選ぶことができます。

サイズを設定する

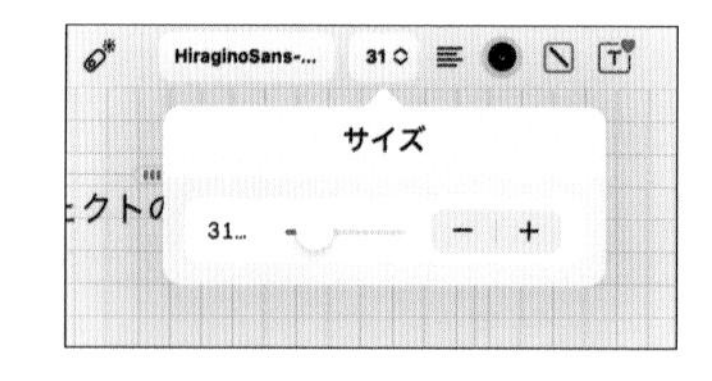

スライダーまたは、「＋」「－」をタップして、変更することができます。

段落を設定する

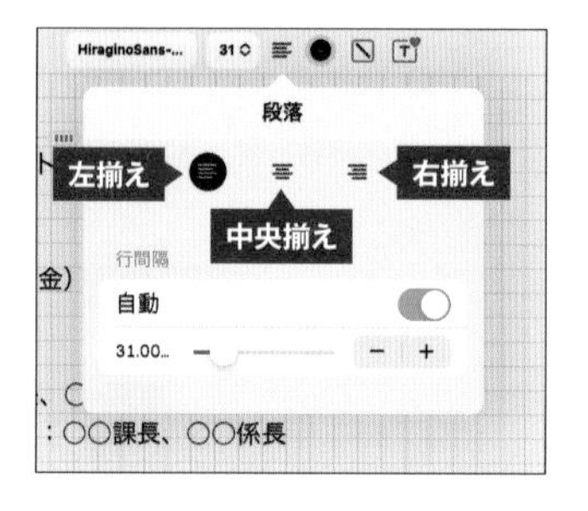

テキストボックス内の段落設定ができます。左揃え、中央揃え、右揃えの変更や行間隔を変更できます。

カラーを設定する

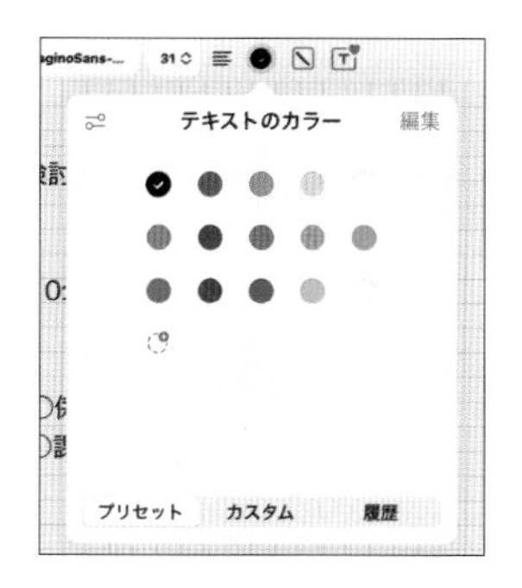

ペンツールと同様に、カラーを設定できます。

テキストスタイルを保存する

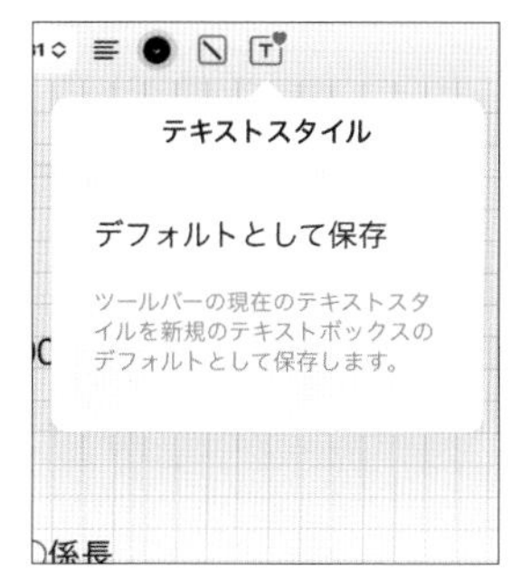

「デフォルトとして保存」をタップすると、現在の設定がそのまま次からデフォルトとして使えます。

テキストボックスのスタイルを設定する

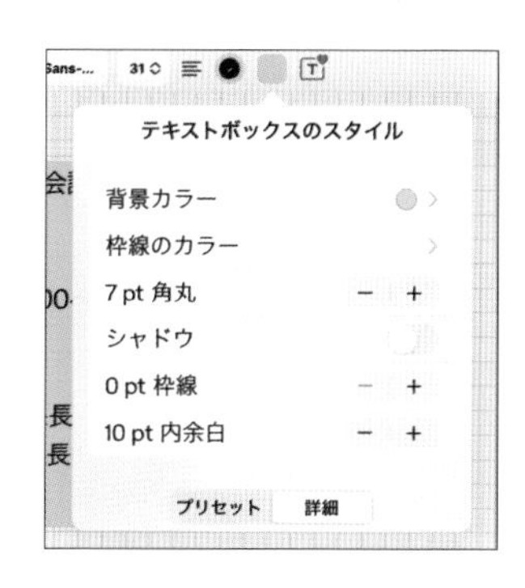

① テキストボックスの背景カラーや枠線のカラーなどを変更できます。

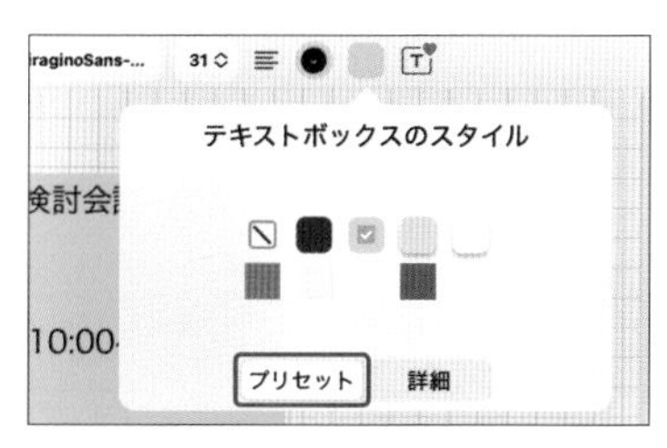

② 「プリセット」をタップすると、あらかじめ決められた設定を選ぶことができます。

スクリブルをオンにする（iPadの場合）

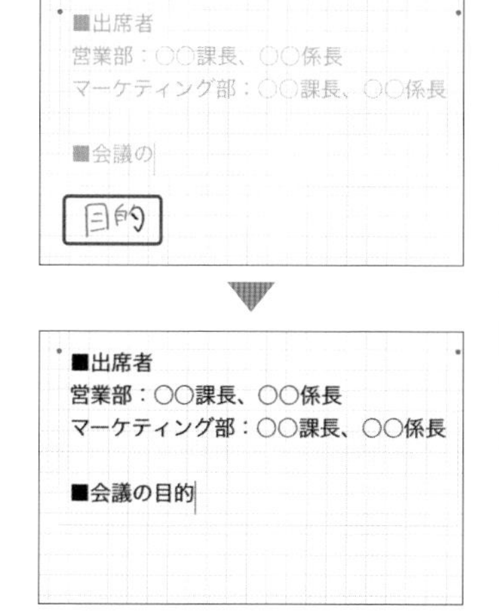

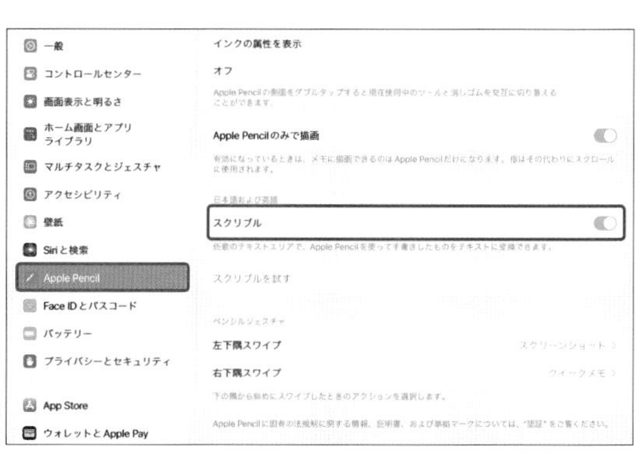

「スクリブル」とは、手書きの文字をテキストとして認識させるiPadの機能のことです。iPadの「設定」→「Apple Pencil」から「スクリブル」をオンにすると、使えるようになります。

Technique 33

要素ツールの使い方

スタンプを挿入できるツールです。あらかじめ登録されているものだけでなく、自分でオリジナルのスタンプを作ったり、外部から取り込んだりすることもできます。

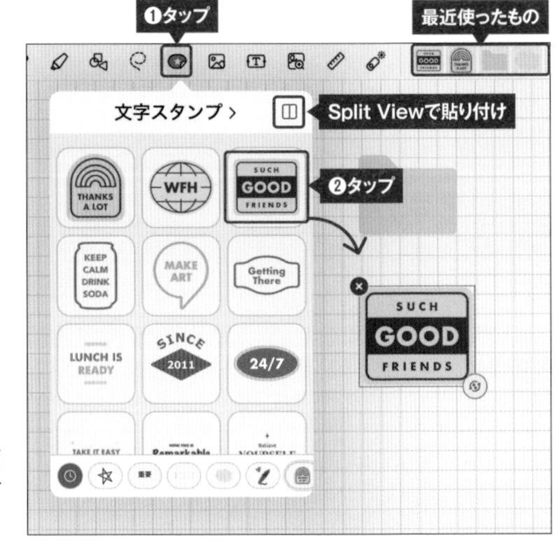

「要素ツール」をタップし、好きなスタンプの画像をタップすると、ノート上に貼り付けることができます。

Split Viewで貼り付け

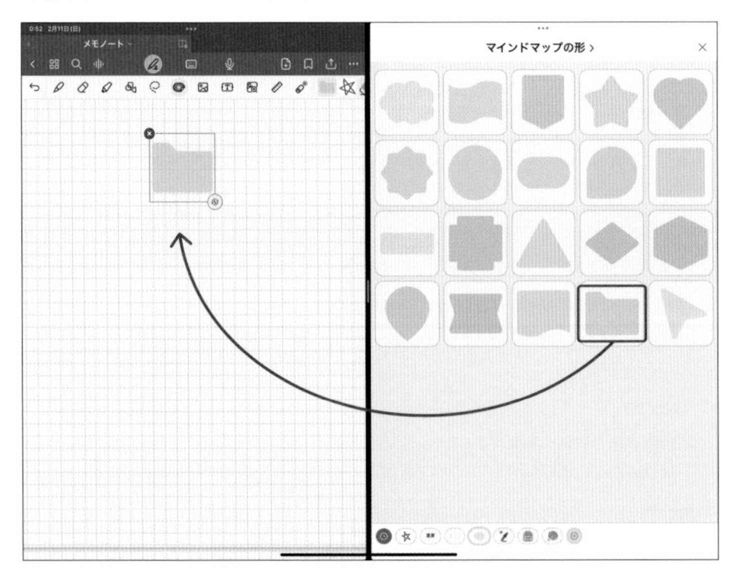

右上のアイコンをタップすると、自動でSplit Viewの画面になります。右側のスタンプ一覧から画像を選び、左側のノートへドラッグ（画像をタッチして押さえたまま移動）すると、貼り付けることができます。

新規の要素を追加する

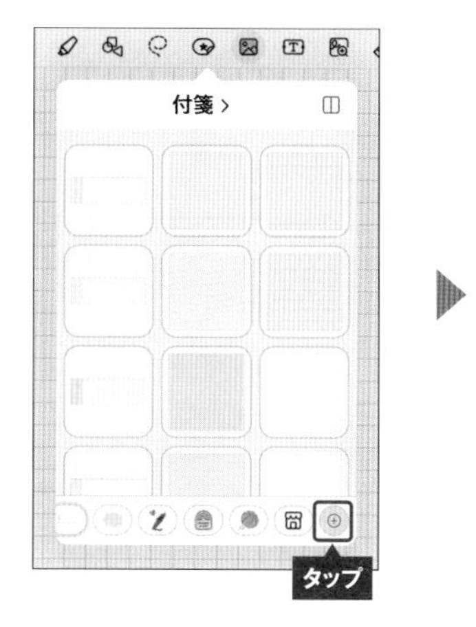

右下の「＋」アイコンをタップします。新規コレクションの名称を入力すると、「写真を追加」または「読み込む」で取り込みます。

要素を自分で作る

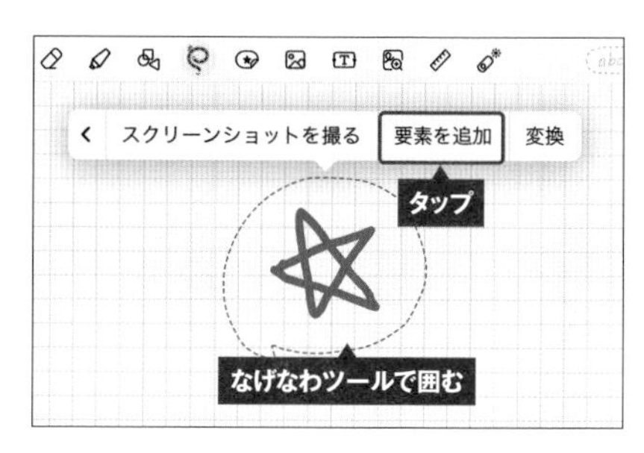

① 自分で描いた図形を「なげなわツール」で囲みます。「要素を追加」をタップします。

② 追加したいコレクションを選択します。

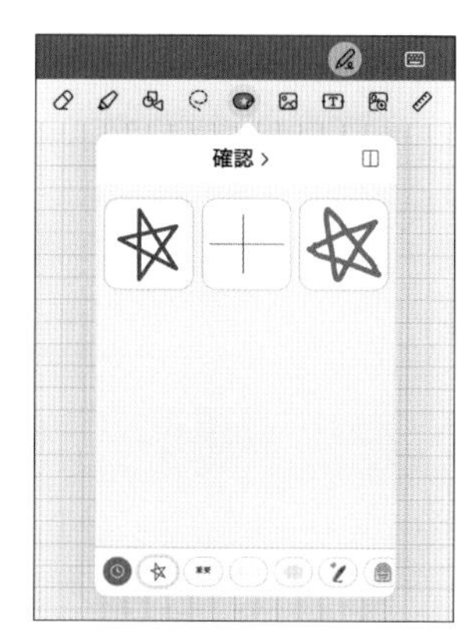

③ 「要素ツール」から、使いたいスタンプを選択します。

④ スタンプとして使えるようになりました。

Technique 34

拡大ツール、定規ツール、レーザーポインターツールの使い方

拡大ツール、定規ツール、レーザーポインターツールなど、その他の便利な機能を紹介します。

拡大ツール

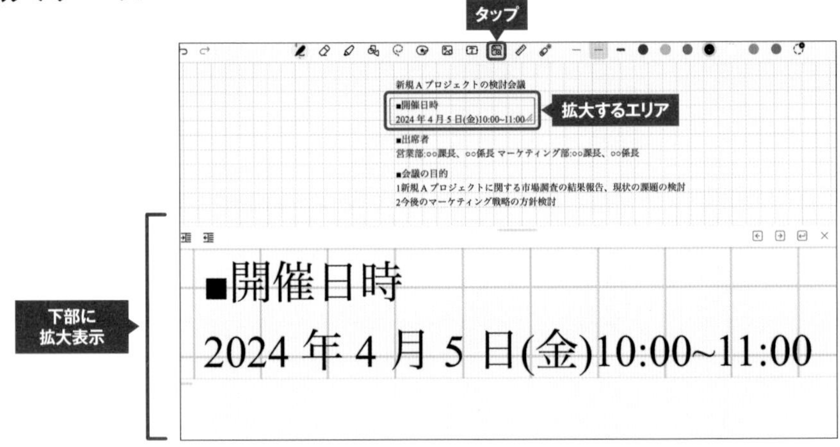

ノートの一部を拡大して表示できるツールです。小さい文字を書いたり、細かい部分を確認するときに便利です。拡大するエリアの移動や大きさ、拡大率を変えることができます。

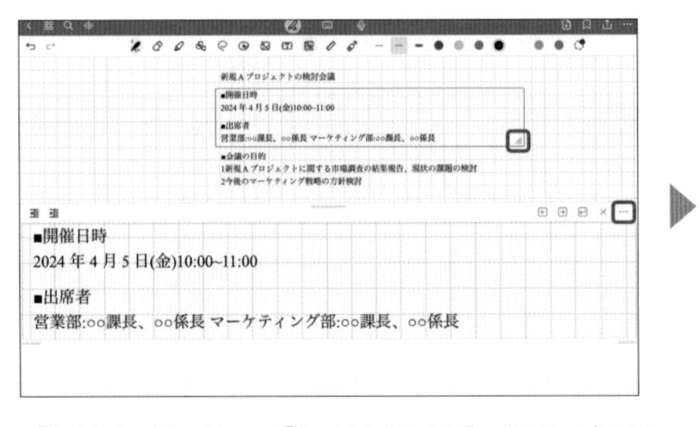

① 拡大エリアは変更することができます。

② 拡大表示の「…」をタップすると、拡大ウィンドウのRETURNキーの高さを変更することができます。

定規ツール

タップ

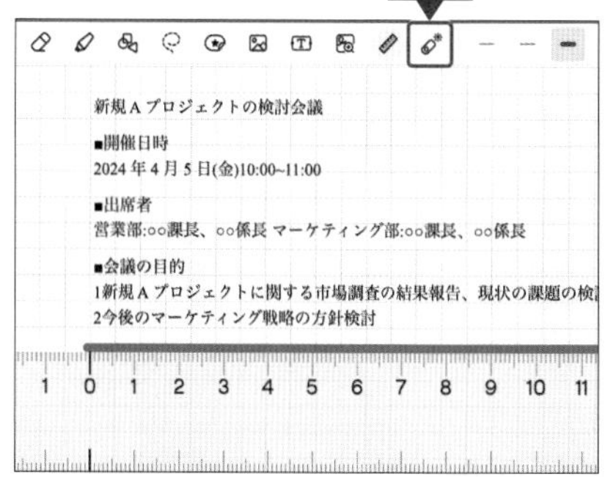

① 「定規ツール」をタップすると、ノート上に定規が表示されます。実際の定規のように、長さを測ったり、定規に合わせて正確な線を描くことができます。定規は指で動かすことができます。

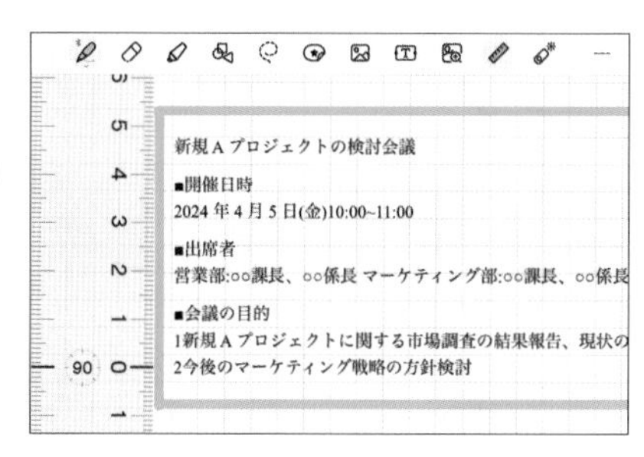

② 2本指で定規に触れると、回転させることができます。

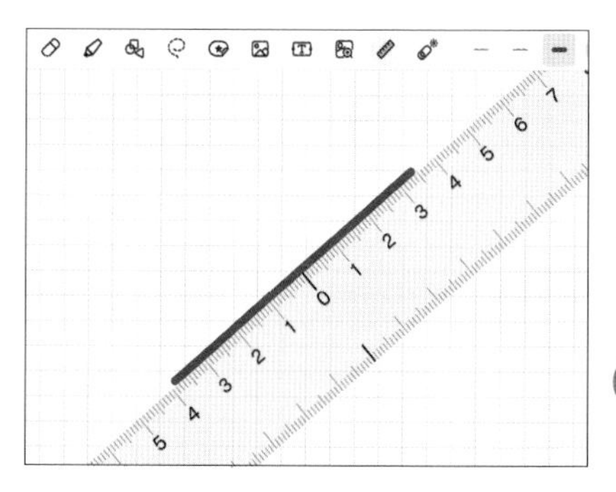

③ 斜めなど、好きな角度に変えることができます。長押しをすると、オプション設定が表示されるので、設定を変更することができます。

レーザーポインターツール

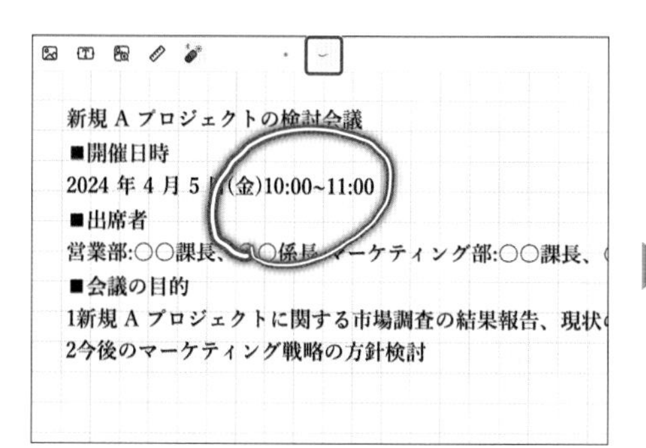

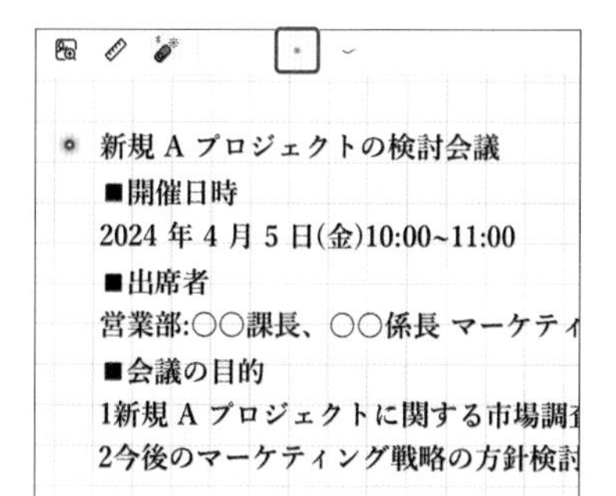

① 実際のレーザーポインターのように使えるツールです。プロジェクターに映してプレゼンをする際やリモート会議で画面共有しているときに便利です。線を描くタイプは、ペンでなぞった軌跡が一定時間残ります。

② 点タイプもあります。ペンで画面に触れている部分に点が表示されます。ペンを画面から離すと、消えます。

Technique 35 ナビゲーションバーの使い方・設定変更

Goodnotesの画面上にあるメニューバーのうち、ペンツールなどのツール以外の機能を紹介します。

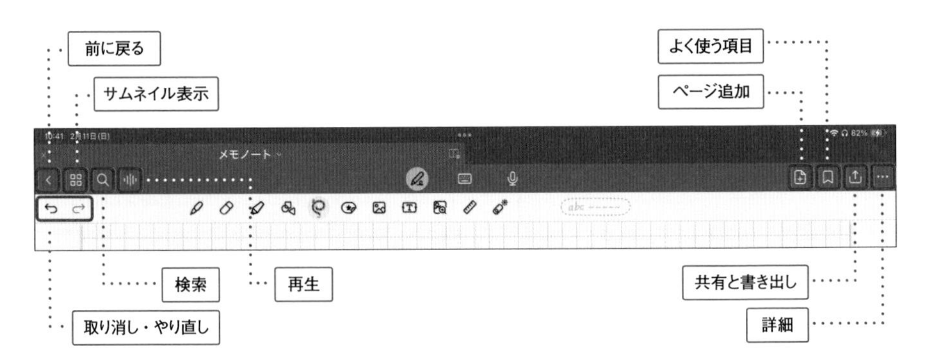

サムネイル表示

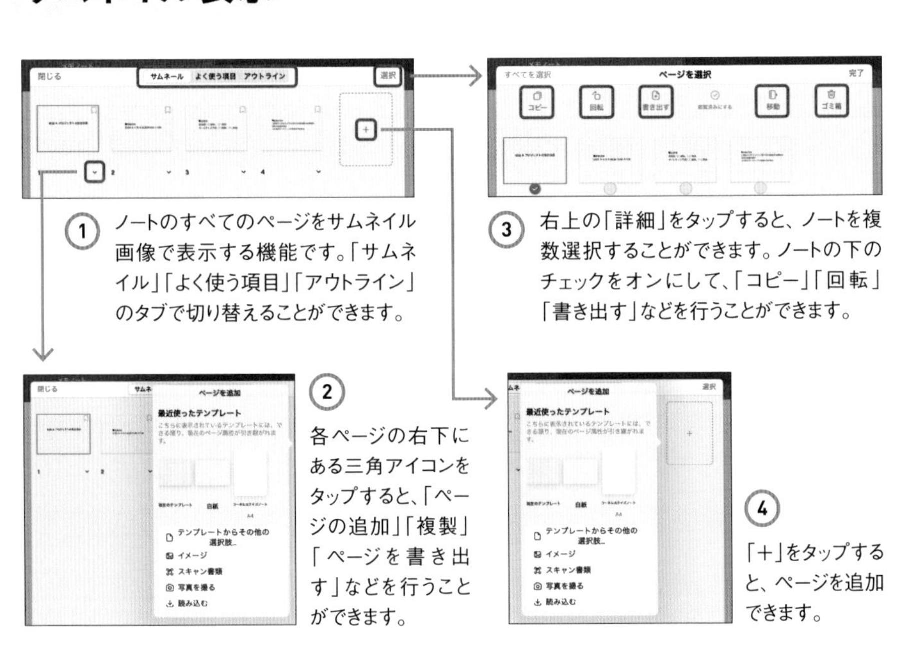

① ノートのすべてのページをサムネイル画像で表示する機能です。「サムネイル」「よく使う項目」「アウトライン」のタブで切り替えることができます。

② 各ページの右下にある三角アイコンをタップすると、「ページの追加」「複製」「ページを書き出す」などを行うことができます。

③ 右上の「詳細」をタップすると、ノートを複数選択することができます。ノートの下のチェックをオンにして、「コピー」「回転」「書き出す」などを行うことができます。

④ 「＋」をタップすると、ページを追加できます。

検索

検索窓が表示されます。すべてのノートから文字列を検索します。手書きの文字も認識されます。

再生

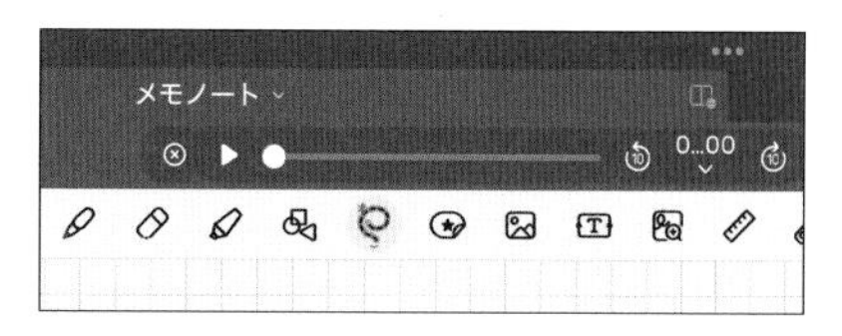

録音機能で録音したデータを再生します。

ページを追加

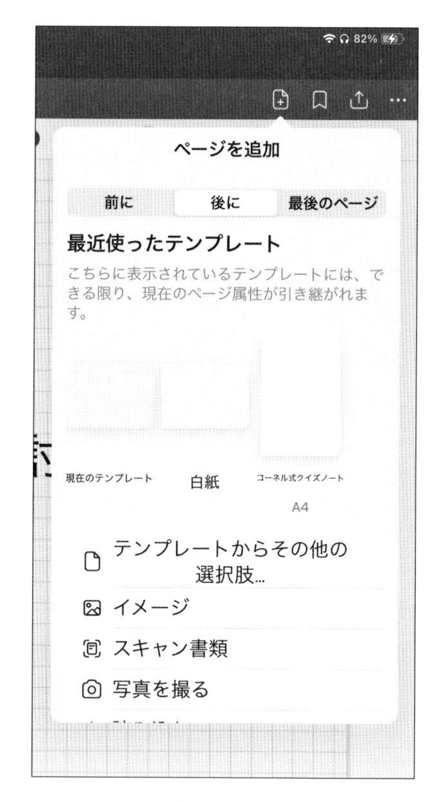

ノートにページを追加できます。現在表示しているページに対して「前に」「後に」「最後のページ」から選べます。別のテンプレートや、イメージ画像、スキャン書類なども追加できます。

よく使う項目

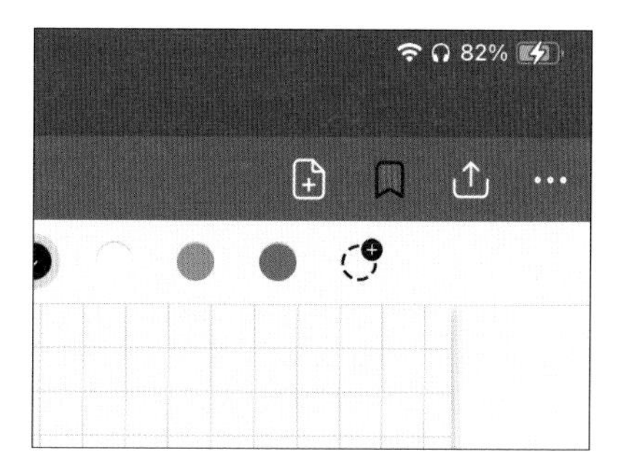

タップすると、「よく使う項目」として、赤く表示されます。もう一度タップすると、解除されます。

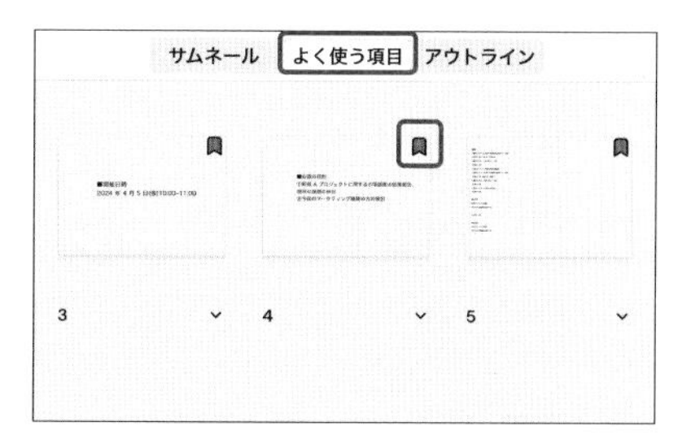

「サムネイル表示」からも各サムネイル画像の右上にあるアイコンをタップすると、「よく使う項目」に変更することができます。

共有と書き出し

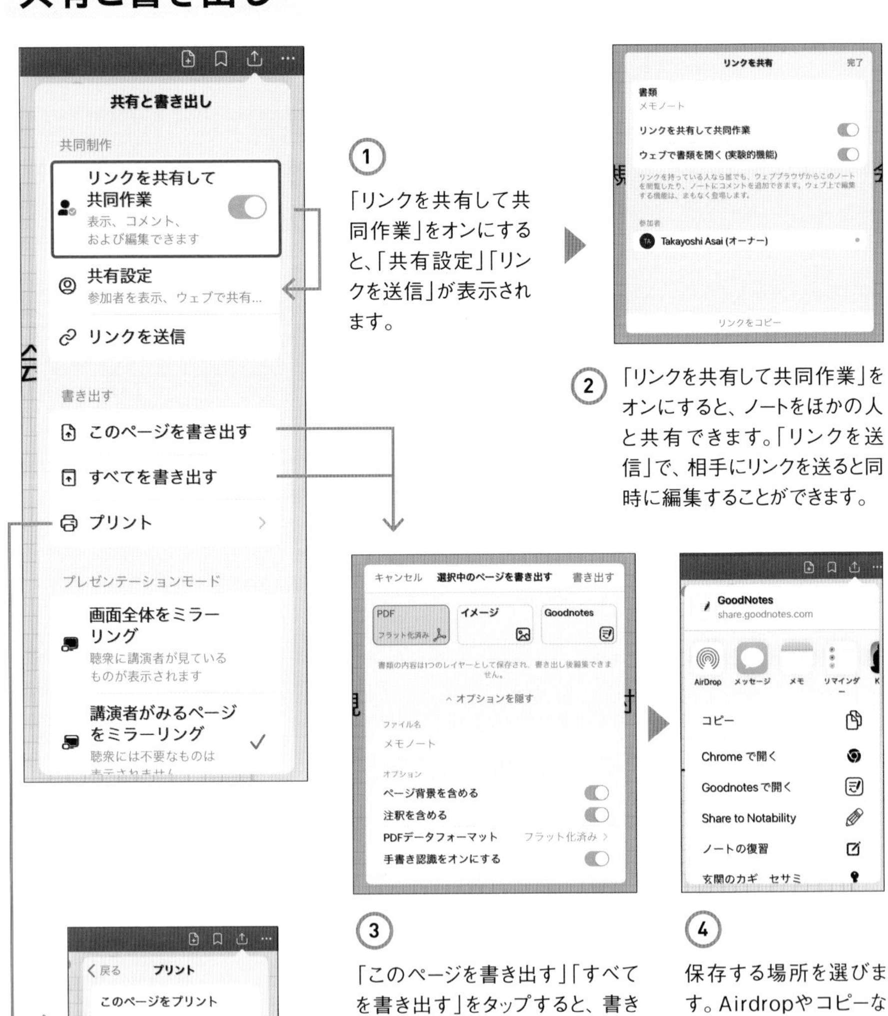

①
「リンクを共有して共同作業」をオンにすると、「共有設定」「リンクを送信」が表示されます。

②
「リンクを共有して共同作業」をオンにすると、ノートをほかの人と共有できます。「リンクを送信」で、相手にリンクを送ると同時に編集することができます。

③
「このページを書き出す」「すべてを書き出す」をタップすると、書き出して保存することができます。形式は、PDF、画像、Goodnotes形式の3つから選べます。

④
保存する場所を選びます。Airdropやコピーなどもできます。

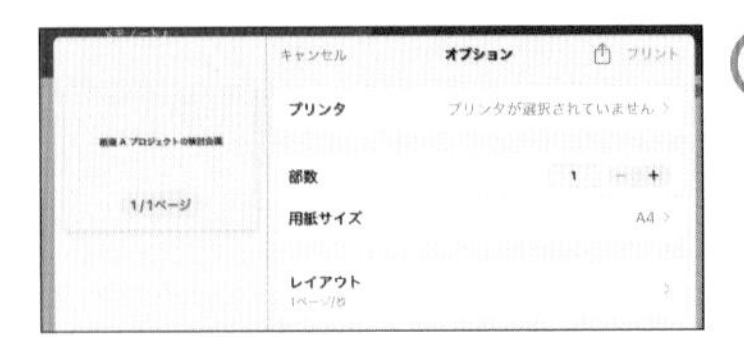

⑤
「プリント」をタップすると、外部のプリンターで印刷することができます。ページごと、ノート全体を選び、印刷するプリンタや部数、用紙サイズなどを選びます。

詳細

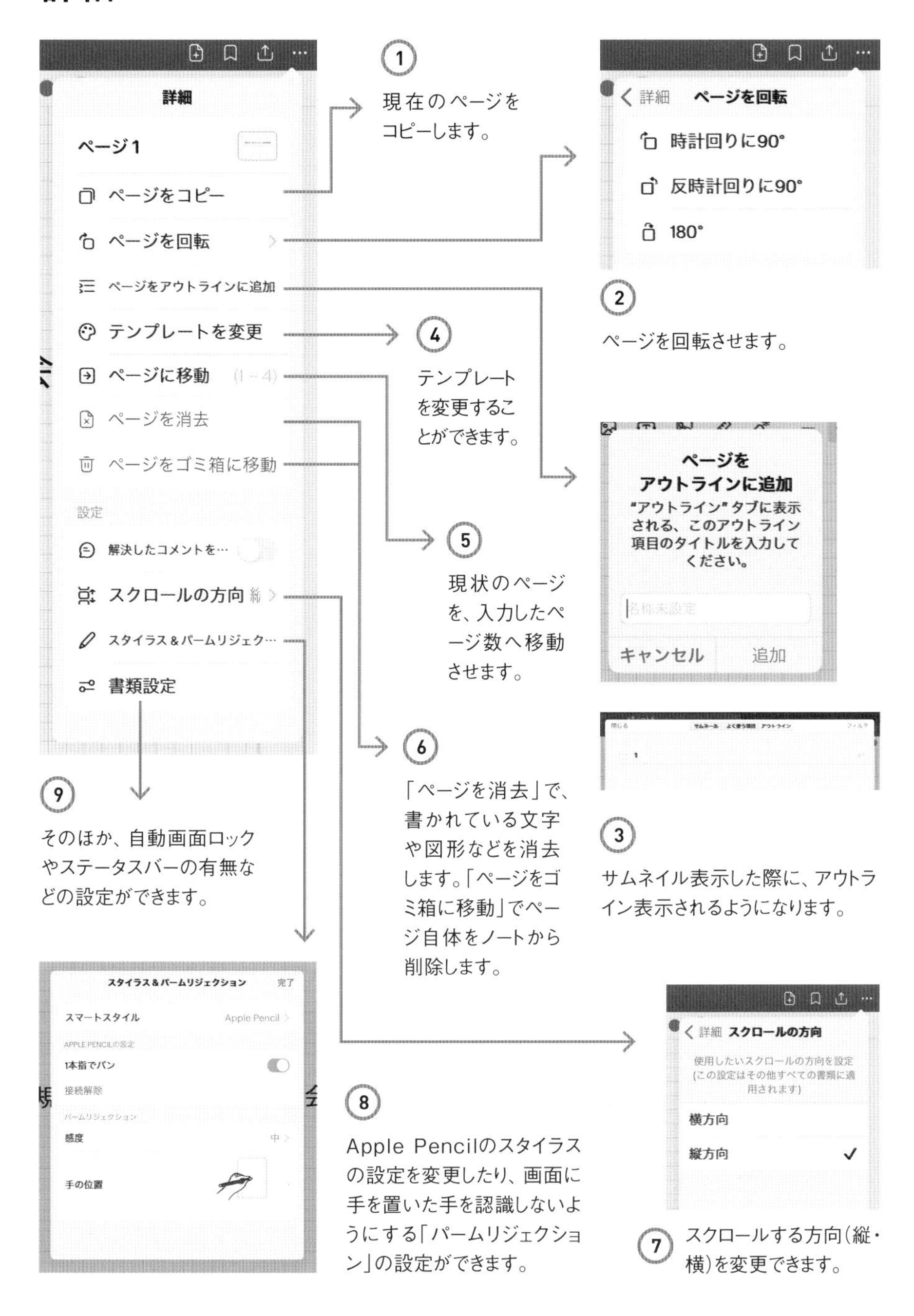

詳細
ページ1
ページをコピー
ページを回転
ページをアウトラインに追加
テンプレートを変更
ページに移動 (1 – 4)
ページを消去
ページをゴミ箱に移動
設定
解決したコメントを…
スクロールの方向
スタイラス＆パームリジェク…
書類設定
1
現在のページをコピーします。
詳細　ページを回転
時計回りに90°
反時計回りに90°
180°
2
ページを回転させます。
4
テンプレートを変更することができます。
ページを
アウトラインに追加
"アウトライン"タブに表示される、このアウトライン項目のタイトルを入力してください。
名称未設定
キャンセル
追加
5
現状のページを、入力したページ数へ移動させます。
6
「ページを消去」で、書かれている文字や図形などを消去します。「ページをゴミ箱に移動」でページ自体をノートから削除します。
3
サムネイル表示した際に、アウトライン表示されるようになります。
9
そのほか、自動画面ロックやステータスバーの有無などの設定ができます。
スタイラス＆パームリジェクション
完了
スマートスタイル
Apple Pencil
APPLE PENCILの設定
1本指でパン
接続解除
パームリジェクション
感度
中
手の位置
詳細　スクロールの方向
使用したいスクロールの方向を設定(この設定はその他すべての書類に適用されます)
横方向
縦方向
8
Apple Pencilのスタイラスの設定を変更したり、画面に手を置いた手を認識しないようにする「パームリジェクション」の設定ができます。
7
スクロールする方向(縦・横)を変更できます。

書類編集

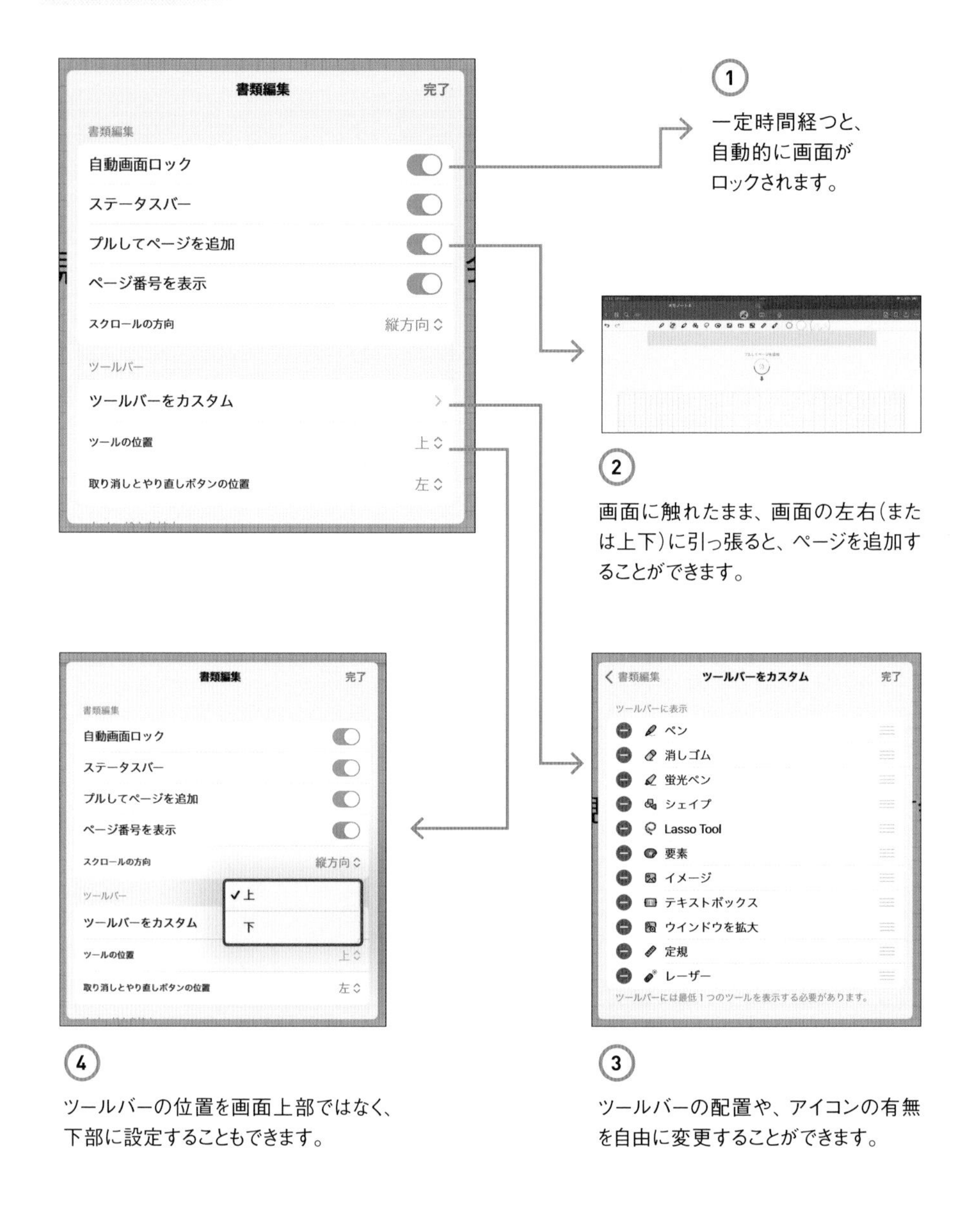

①
一定時間経つと、自動的に画面がロックされます。

②
画面に触れたまま、画面の左右(または上下)に引っ張ると、ページを追加することができます。

③
ツールバーの配置や、アイコンの有無を自由に変更することができます。

④
ツールバーの位置を画面上部ではなく、下部に設定することもできます。

編集モード(閲覧モード)

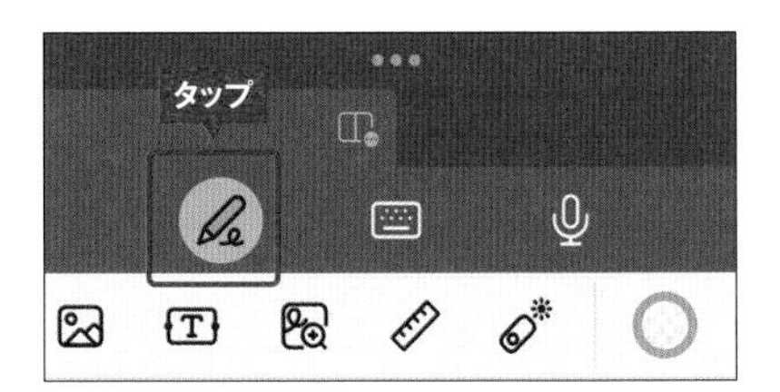

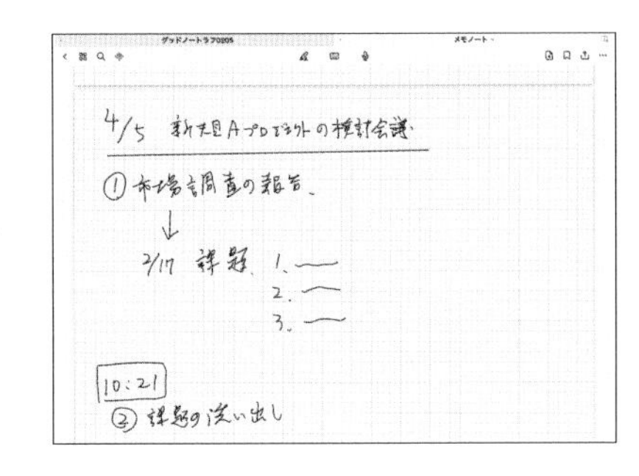

①
ナビゲーションバーの上部にあるアイコンをタップすると、3つのモードに切り替えることができます。左のペンアイコンをタップすると、「閲覧モード」になります。

②
ツールバーが隠れて、ノートを閲覧しやすい画面になります。もう一度タップすると、「編集モード」になります。

タイピングモード

真ん中のキーボードアイコンをタップすると、タイピングモードになります。見出しや箇条書きなどのスタイルも変更できます。

録音モード

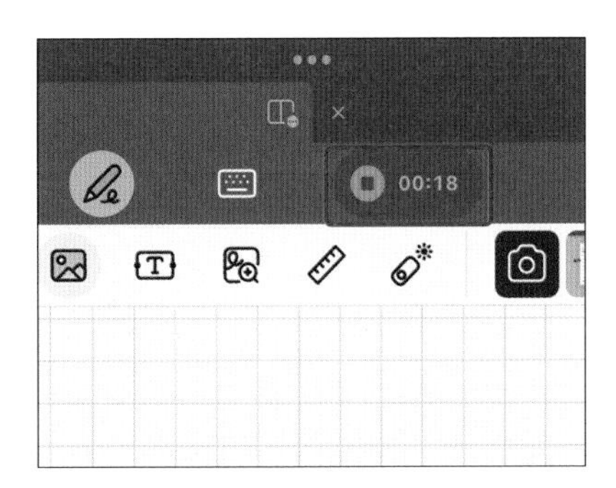

マイクアイコンをタップすると、録音モードになり、すぐに録音がはじまります。もう一度タップすると、録音が停止します。ツールバーにある「再生」アイコンをタップすると、録音した音声を聞くことができます。

Technique 36

フォルダの作成・管理

新規フォルダの作成方法を紹介します。新規ノート作成と同様に「＋」をタップします。フォルダのカラーやアイコンも変更することができます。

フォルダの作成

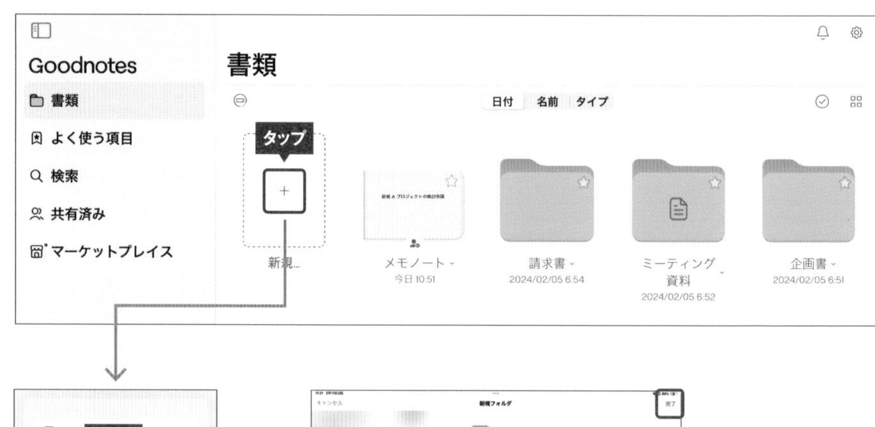

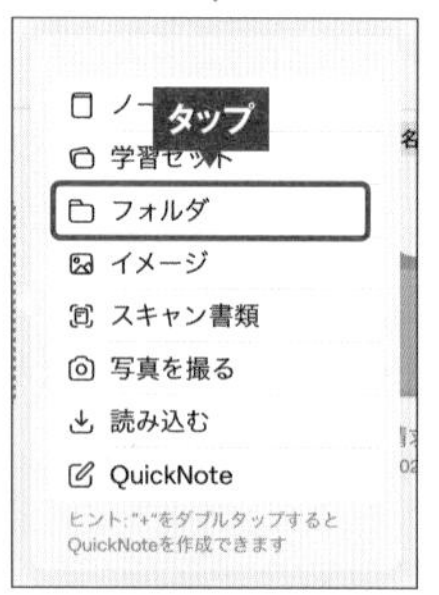

1

書類の「＋」→「フォルダ」をタップしたら、フォルダ名を入力します。右上の「完了」をタップすると、フォルダの作成が完了します。

2

「カラー」をタップすると、あらかじめ決められている色から、フォルダのカラーを選ぶことができます。

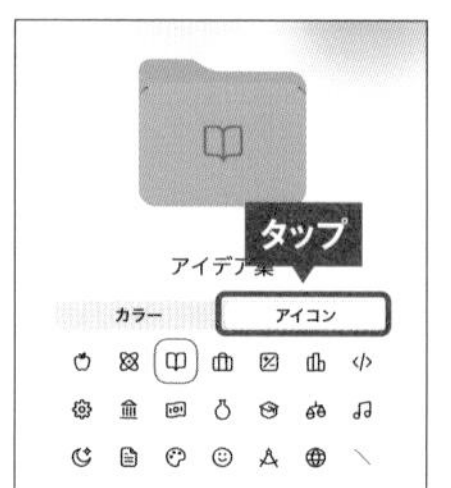

3

「アイコン」をタップすると、フォルダにつけるアイコンを選ぶことができます。

いつでも変更可能

フォルダ名やカラー、アイコンはいつでも変更できます。右下の「矢印」をタップすると、表示されます。

よく使う項目

フォルダ右上の「☆」をタップすると、よく使う項目に設定されます。もう一度タップすると、解除されます。

フォルダの管理

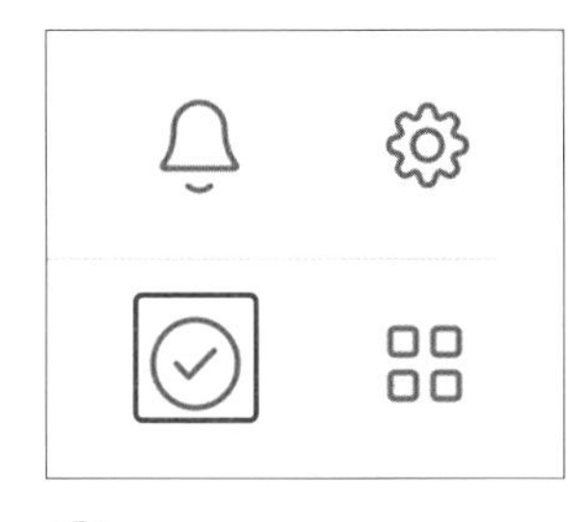

①

書類画面の右上にあるチェックアイコンをタップします。

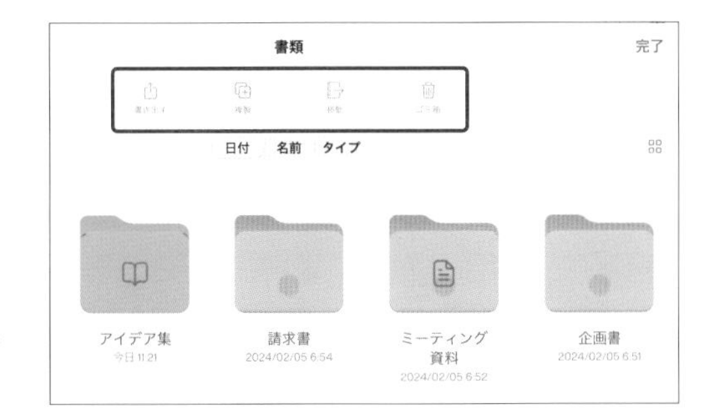

②

「書き出す」「複製」「移動」「ゴミ箱」の表示が出て、フォルダの管理ができます。

Technique 37

Split Viewの使い方

iPad機能の1つとして、2つのアプリを画面分割して同時に開くことができるSplit Viewがあります。写真をノートに貼り付けるときなど、Split Viewを使うとGoodnotesがもっと便利になります。また、同じような分割パターンであるSlide Overも紹介します。

Split Viewを開く

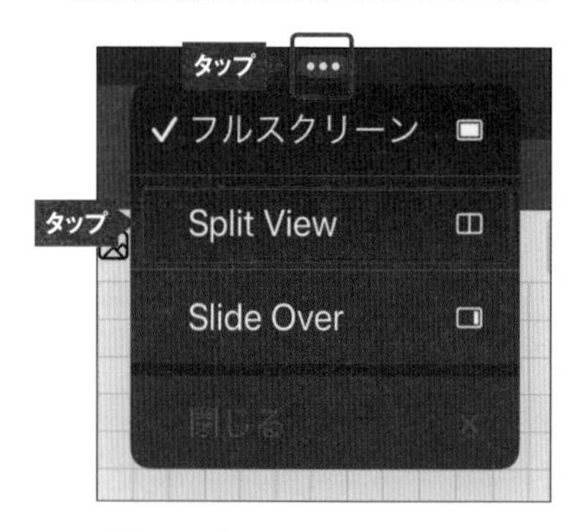

① アプリ上部にある「…」をタップします。「Split View」と「Slide Over」の表示が出るので、「Split View」をタップします。

② Goodnotes(1つ目のアプリ)がいったん画面外に出ます。ホーム画面で2つ目のアプリを選びます。

③ Split Viewで2つ目のアプリが開きます。画面を分割して2つのアプリが表示されます。どちらも操作することができます。

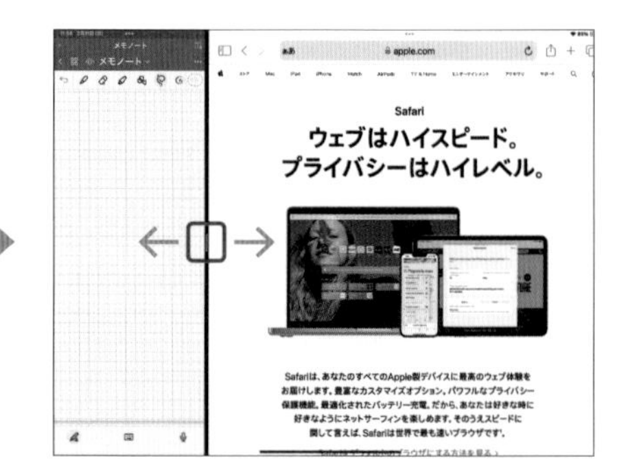

④ 画面を分割しているスライダーに触れ、左右に移動させると、分割の割合を変えることができます。そのまま端まで移動させると、アプリが画面から消えます。

Point 左右の入れ替え・分割パターンを変える

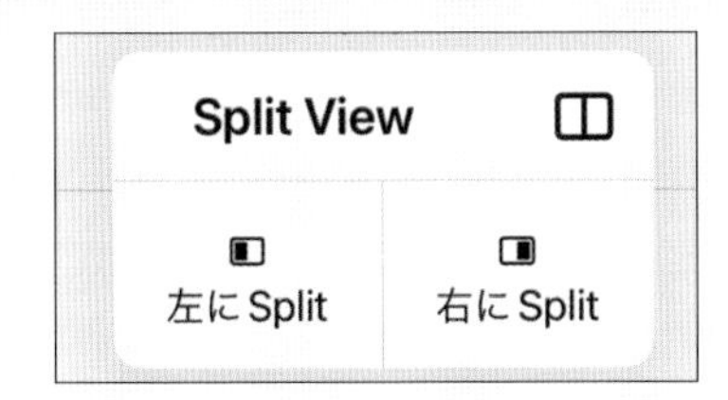

Split Viewを開いているときに、「…」→「Split View」をタップすると、左右どちらに表示するか選ぶことができます。

「…」をタップして、別の分割パターンを選ぶと、すぐに切り替えることができます。「フルスクリーン」をタップすると、全画面に戻ります。

Slide Overを開く

① アプリ上部の「…」→「Slide Over」をタップします。

② 1つ目のアプリが右側に移動するので、2つ目のアプリをタップします。

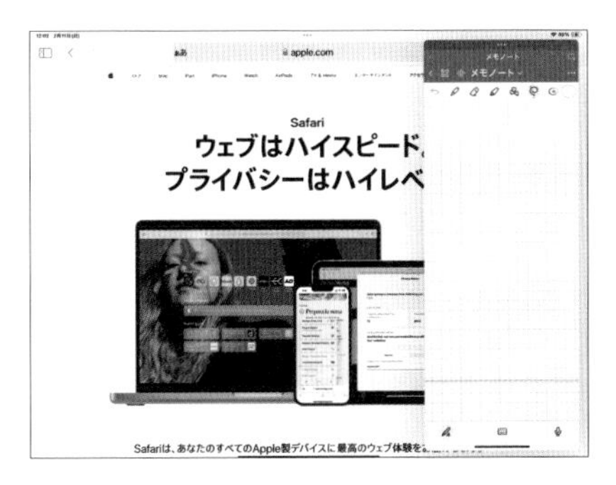

③ 1つ目のアプリが2つ目のアプリの上に乗るように表示されます。

④ 1つ目のアプリは左右に移動させることができます。

Technique
38 キーワードで検索

ノートやフォルダの数が増えてくると、管理したり、古いデータを探したりするのが段々と面倒になってきます。そんなときは「検索」を活用しましょう。ノート名やフォルダ名のほかに、ページ内のテキストや手書きの文字も認識してくれるので、とても便利です。

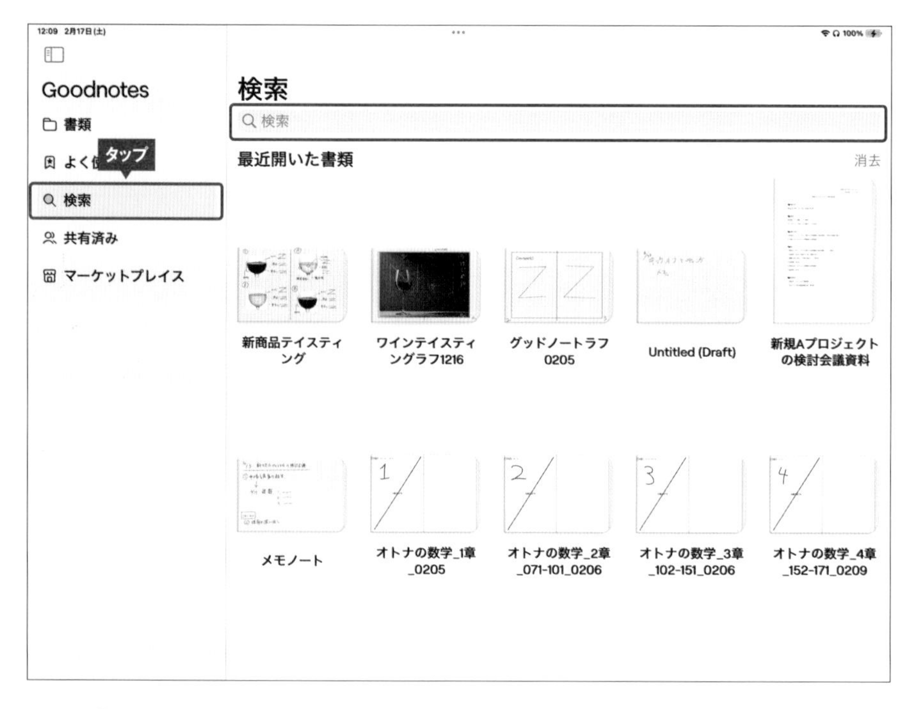

① サイドバーにある「検索」をタップします。検索窓に、検索したい文字を入力します。

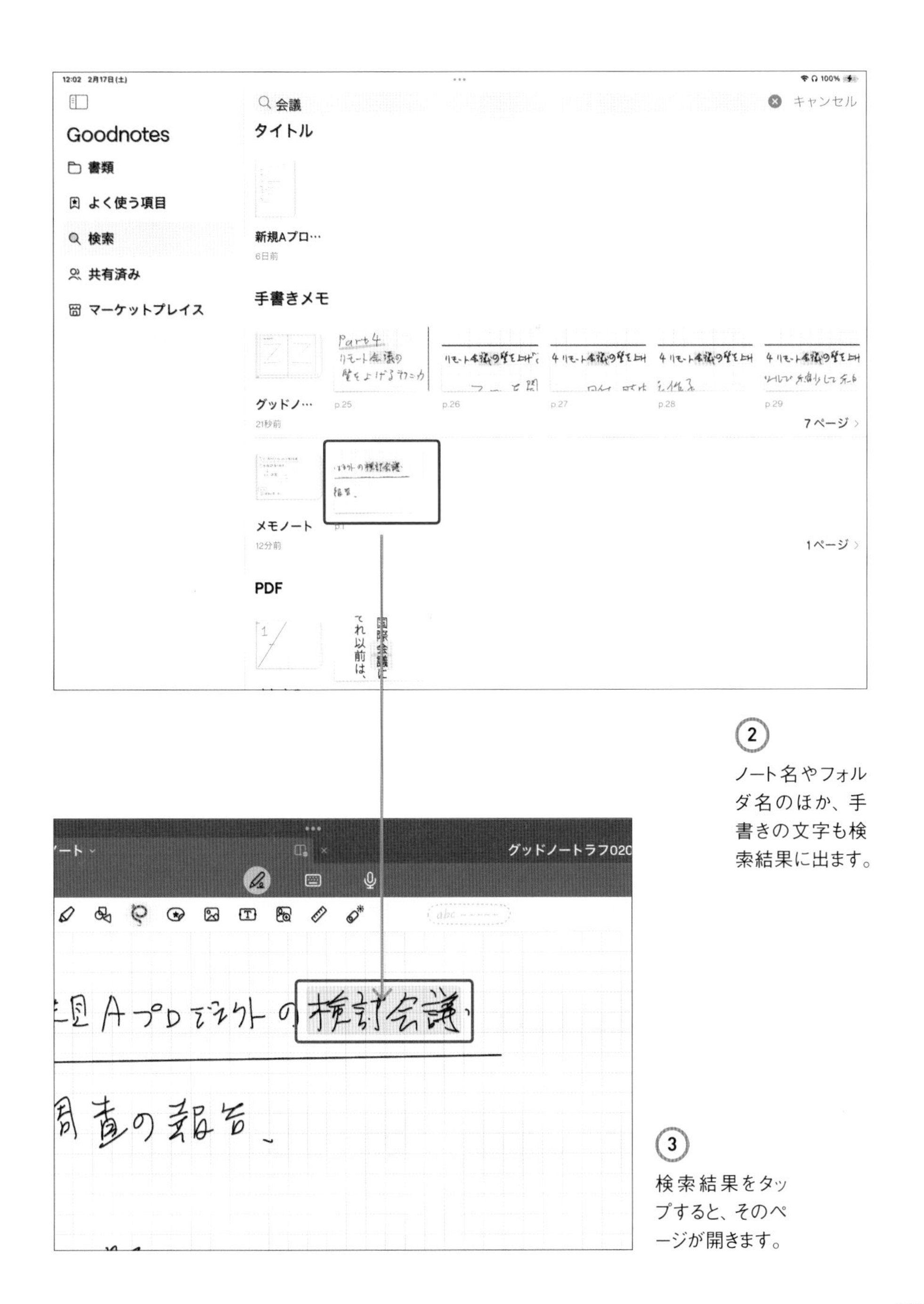

②
ノート名やフォルダ名のほか、手書きの文字も検索結果に出ます。

③
検索結果をタップすると、そのページが開きます。

Technique
39 ノートのページ管理

ノート内のサムネイル表示をした際に、ページの追加や管理ができます。ノート全体を把握しながら、ページの移動や削除ができるので、効率的なページ管理ができます。

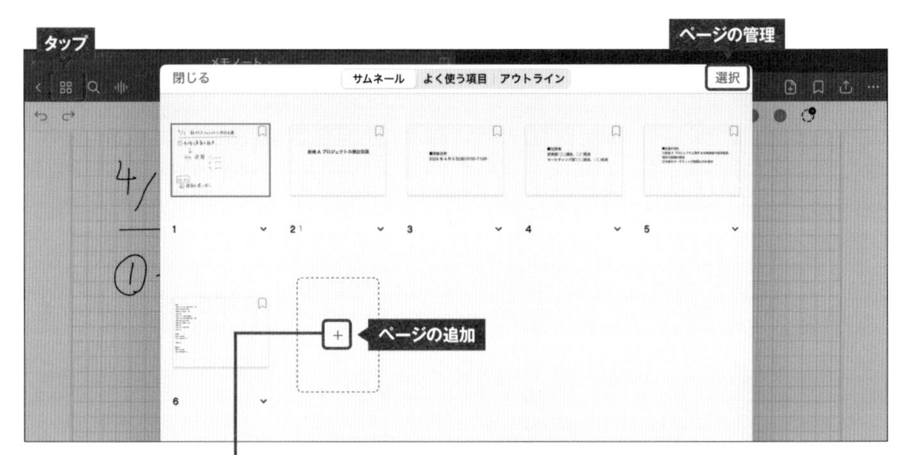

メニューバーにある、四角マークをタップすると、ノートのサムネイルが表示されます。「+」をタップすると、「ページを追加」が表示され、右上の「選択」をタップすると「ページの管理」が表示されます。

ページを追加できます。テンプレートは自由に選ぶことができます。

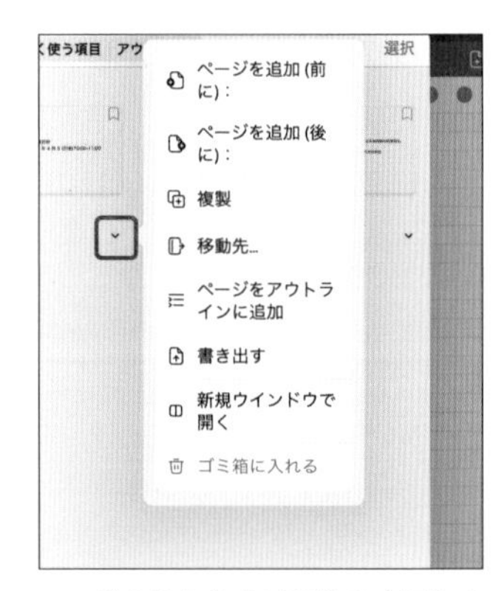

ページのサムネイル画像の右下にある矢印アイコンからもページの管理ができます。

ページの管理

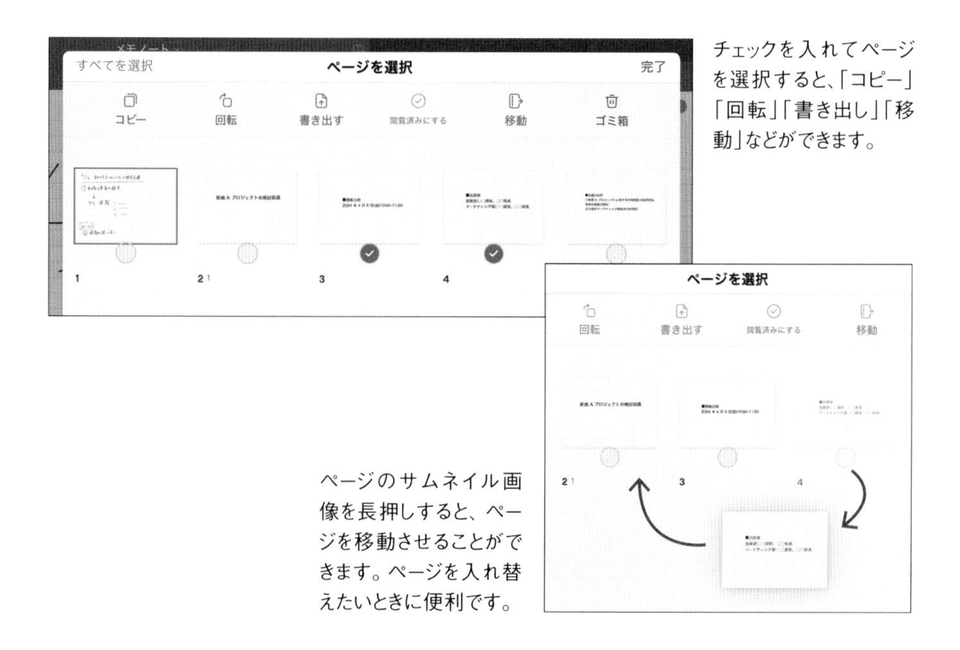

チェックを入れてページを選択すると、「コピー」「回転」「書き出し」「移動」などができます。

ページのサムネイル画像を長押しすると、ページを移動させることができます。ページを入れ替えたいときに便利です。

Point　QuickNoteで瞬時にノートを開く

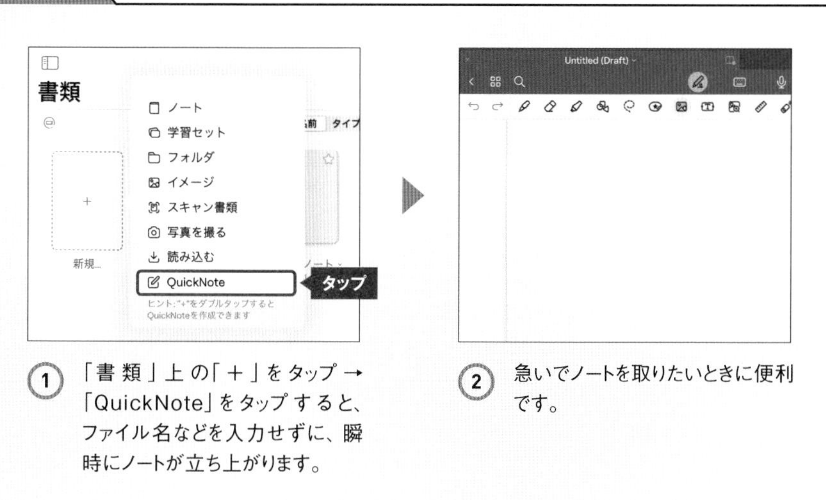

① 「書類」上の「＋」をタップ→「QuickNote」をタップすると、ファイル名などを入力せずに、瞬時にノートが立ち上がります。

② 急いでノートを取りたいときに便利です。

Technique
40 同じノートを共有して作業する

同じノートを共有して、他のユーザーと共同編集をすることができます。また、リンクを送信することで、Goodnotesにサインインしていなくても、PCなどのWebブラウザからノートを見ることができます。

ノートを共有する

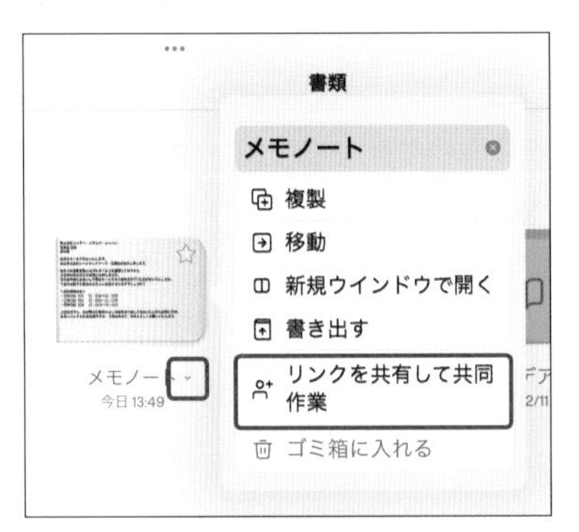

① 書類画面からノートの右下にある「矢印」をタップします。表示されたメニューから「リンクを共有して共同作業」をタップします。

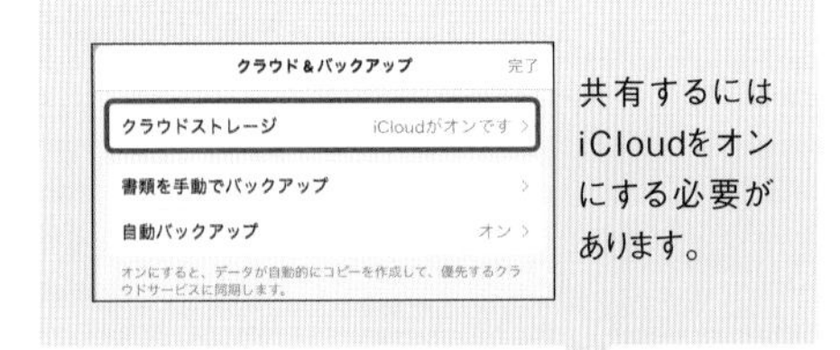

共有するにはiCloudをオンにする必要があります。

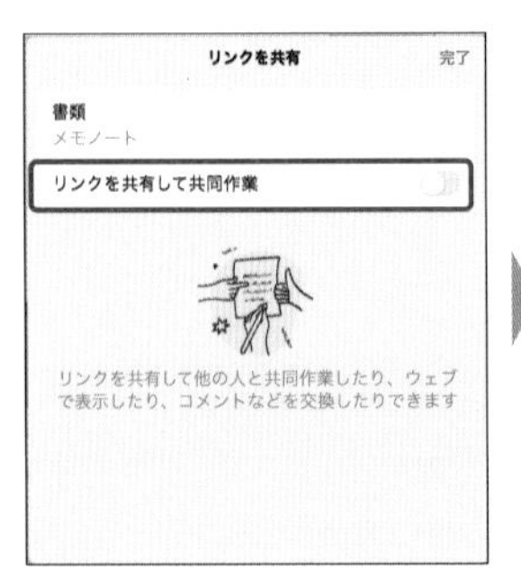

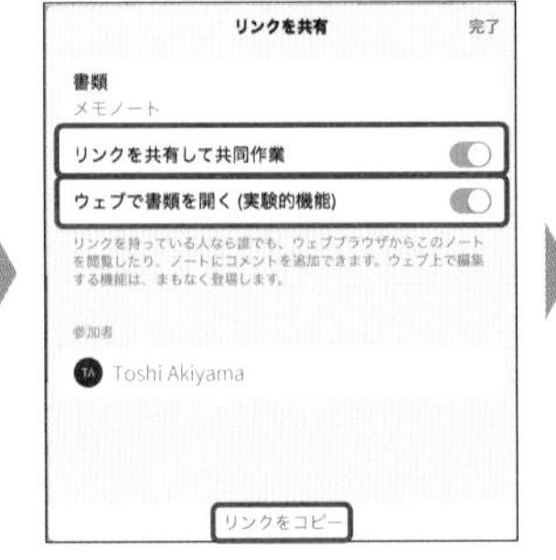

② リンクを共有して共同作業をタップして、オンにします。

③ 「ウェブで書類を開く」をオンにすると、Webでも開くことができるようになります。「リンクをコピー」をタップしてほかのユーザーに教えると、相手は共有リンクを開くことができます。

④ 開いているノートからも共有ができます。ナビゲーションバーの「共有と書き出し」をタップし、メニューから「リンクを共有して共同作業」をタップすると、オンになります。

Webブラウザで見る

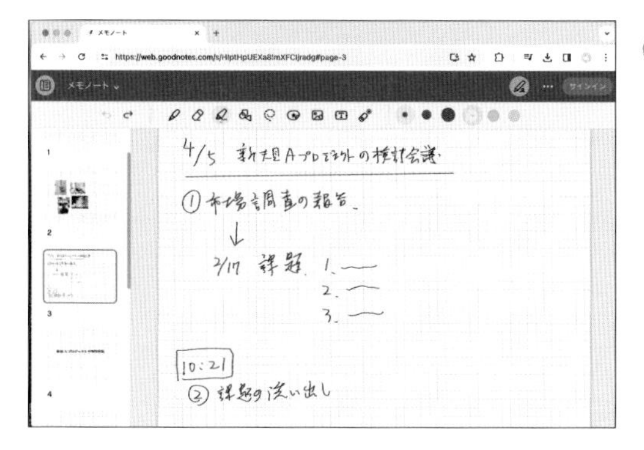

① 「リンクを送信」からURLを発行してコピーします。PCなどのWebブラウザにURLを貼り付けて開いてみましょう。すると、Goodnotesにサインインしていなくても、ノートを見ることができます。

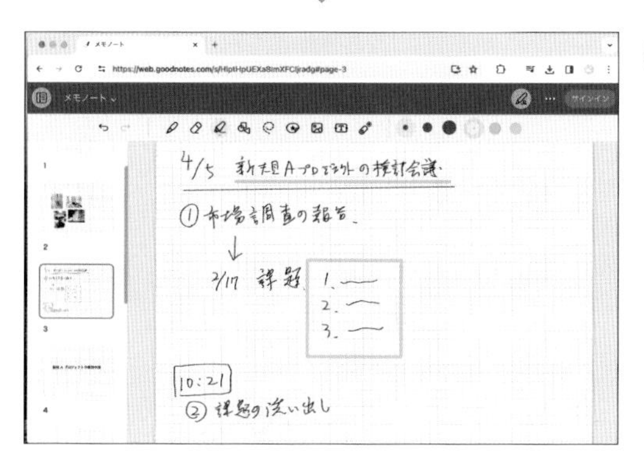

② サインインすると、Webブラウザ上でも一部の機能を使って、書き込みなどができます。

共有を停止する

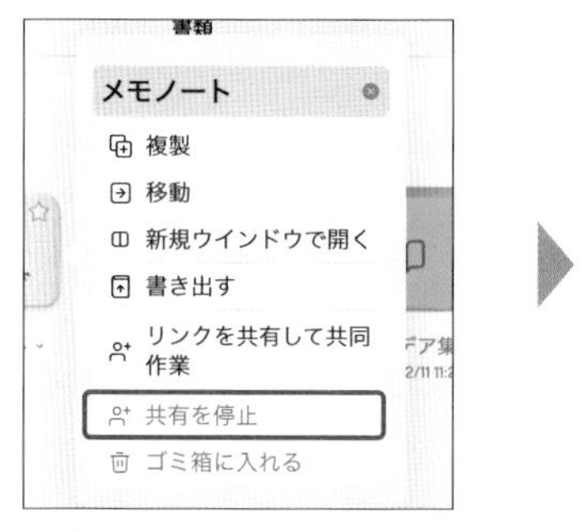

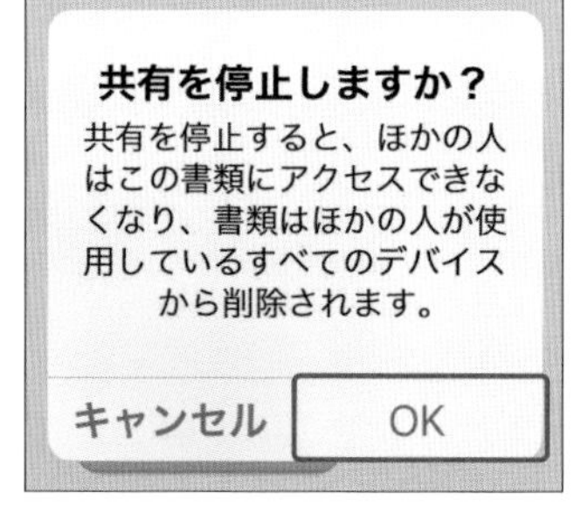

共有を停止する場合は、メニューにある「共有を停止」をタップします。「共有を停止しますか?」と出るので、「OK」をタップすると、停止できます。

Technique

41 ジェスチャー機能で操作

Goodnotesはペンだけでなく、iPadの機能として指で操作する「ジェスチャー機能」もあります。ペンでツールを切り替える必要がないので、上手に使い分けるとより効率的に作業できるでしょう。

ページ全体を表示する

ページをズームした状態で、1本指で画面をダブルタップ（2回タップ）すると、
ページ全体を表示することができます。

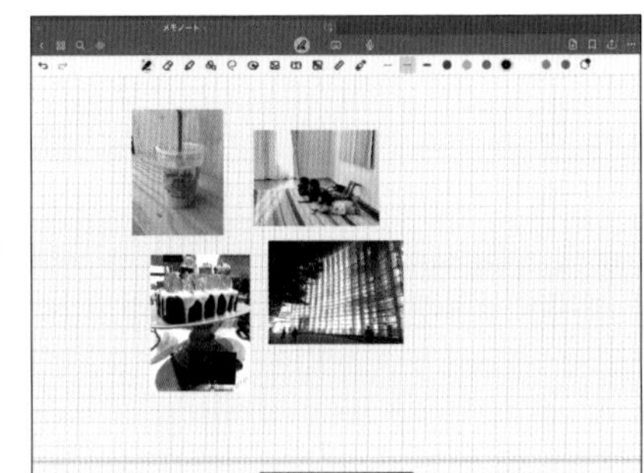

作業の取り消し

2本指で画面をダブルタップすると、1つ前の作業を取り消すことができます。

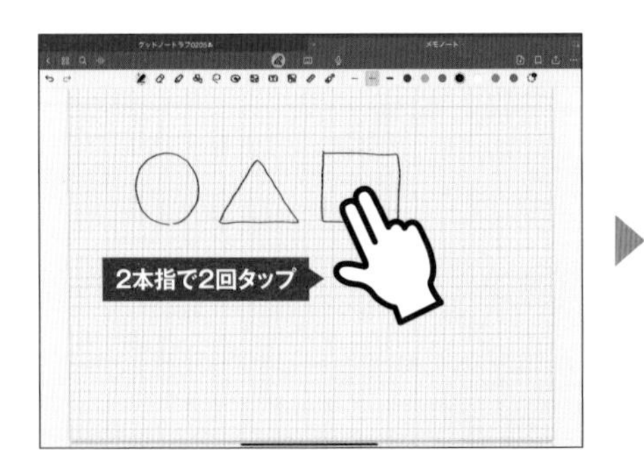

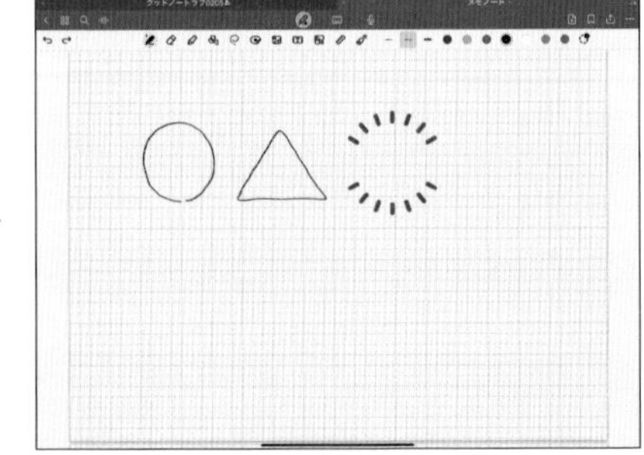

作業の取り消し・作業のやり直し

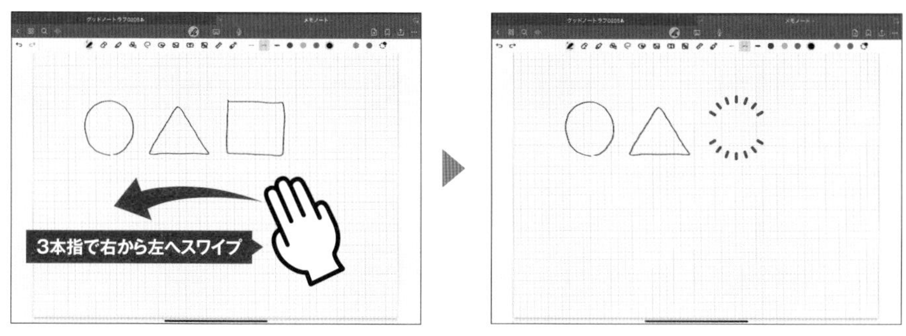

① 3本指で画面を右から左にスワイプすると、「作業の取り消し」になります。
最後に書いた四角が消えました。

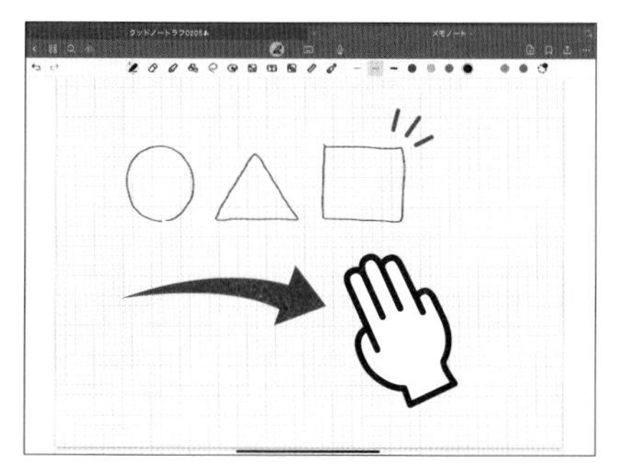

② 反対に、3本指を左から右にスワイプすると、作業のやり直しになります。先ほど消した四角が元に戻りました。

別のアプリへ切り替える

4本指で左または右へスワイプすると、
別のアプリへ切り替わります。

ホーム画面に切り替える

1本指で画面下から上へスワイプ、または4本指で上へスワイプで、ホーム画面に切り替えることができます。

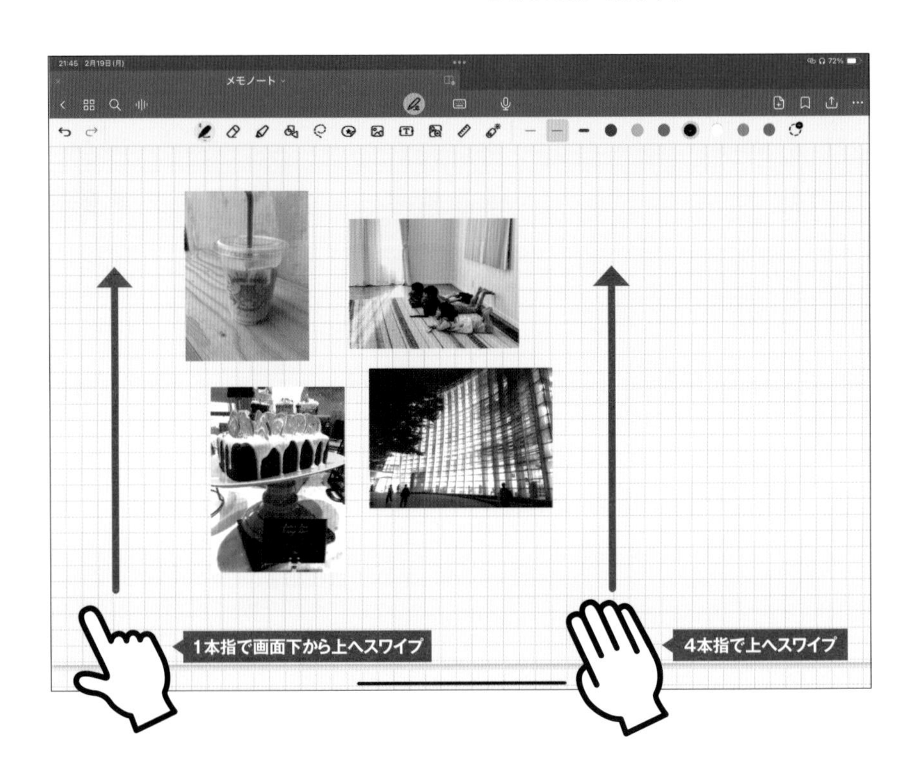

① 上へスワイプすると、アプリからホーム画面に戻ります。

② 途中で止めて、手を離すと、Appスイッチャーの画面になります。

Part 7

Goodnotes6の最新テクニック

Technique
42 録音機能

103ページでも紹介した録音機能ですが、ここでは詳しく解説します。Goodnotesでは、ノートを取りながら、同時に音声を録音することができるのが特徴です。音声と文字がリンクするので、どの発言をしているときに、どの部分をメモしているかがわかります。議事録として振り返るときに便利です。

録音する

① ナビゲーションバーの「マイク」アイコンをタップして、録音モードにします。

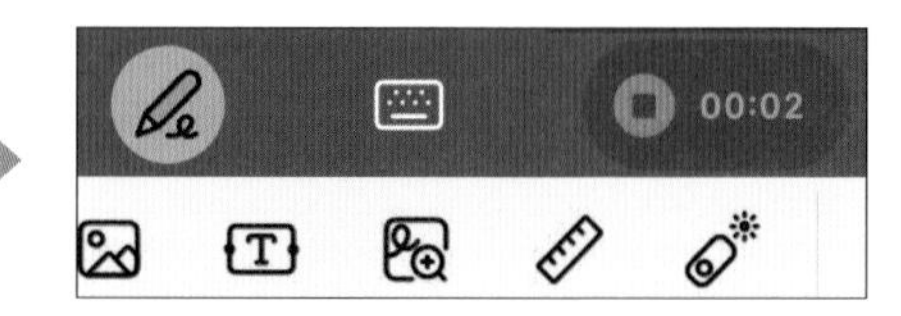

② すぐに録音がはじまります。

再生する

① ナビゲーションバーの「再生」アイコンをタップします。

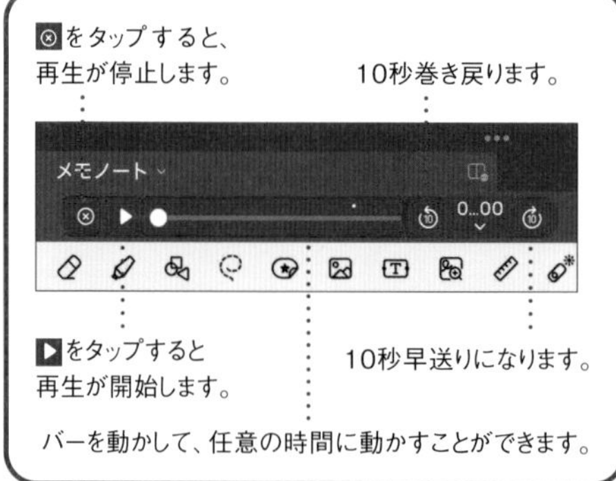

⊗をタップすると、
再生が停止します。
10秒巻き戻ります。
メモノート
0:00
▶をタップすると
再生が開始します。
10秒早送りになります。
バーを動かして、任意の時間に動かすことができます。

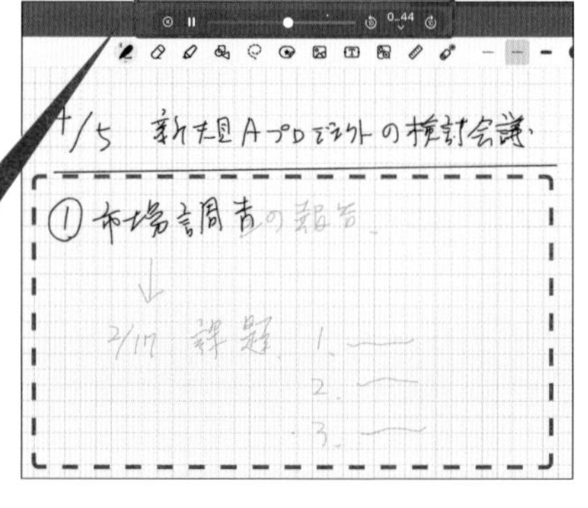

② 再生がスタートします。ノートを取った部分が最初は半透明で表示され、時間の経過とともに、実際に書いた時間になると、元の色に戻るように表示されます。

③

「経過時間」の三角をタップすると、「オーディオ」のメニューが表示されます。再生設定から再生スピードを変えることができます。「ノイズ除去」をオンにすると、雑音が低減されます。

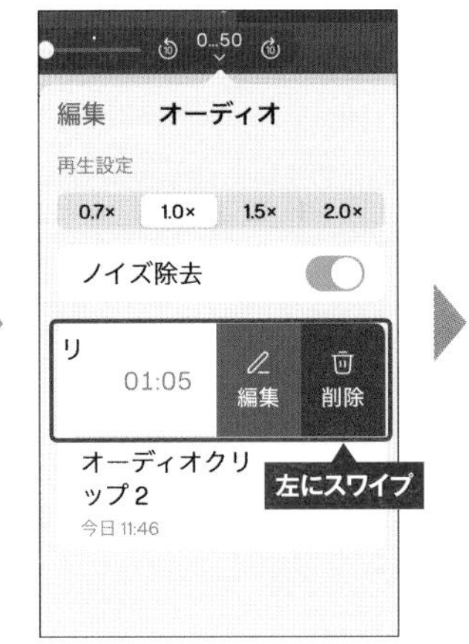

④

「オーディオクリップ名」を左にスワイプすると「編集」「削除」が出てきます。

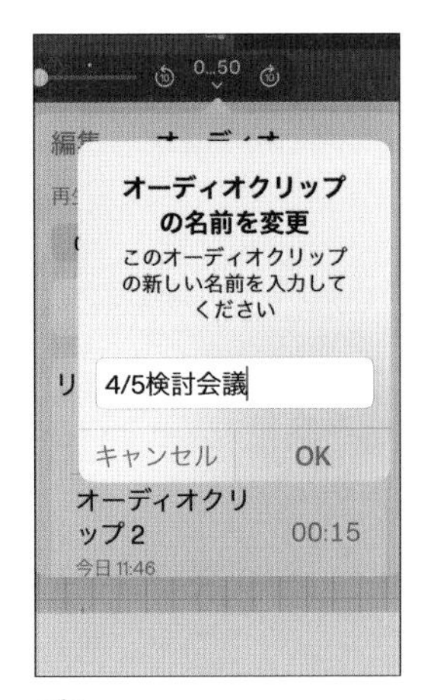

⑤

「編集」をタップすると、オーディオクリップの名前を変更することができます。

Point　インデックス代わりのメモを書こう

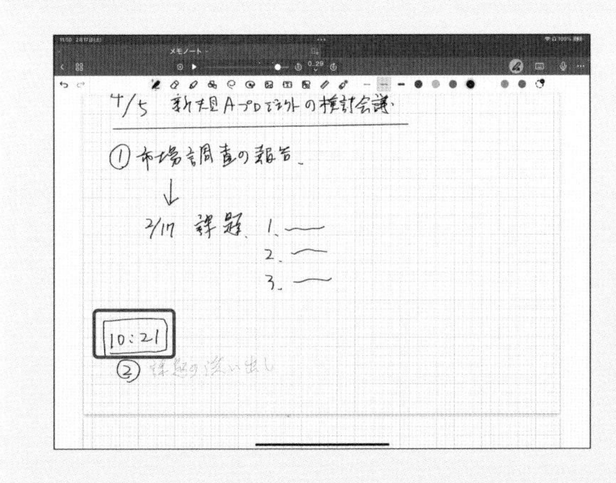

録音時間が長くなると、聞きたい部分を探すのが大変になります。後で聞き直すときに、すぐに聞きたい項目に飛べるように、インデックス代わりのメモを書くといいでしょう。話題や議題が変わったときに、そのタイトルを書いたり、項目名の上にそのときの経過時間をメモすると、確認しやすいです。

Technique
43 手書き文字のスペルチェック

AIが手書きの文字のスペルをチェックしてくれて、間違えている箇所を指摘してくれたり、文字を書いている途中で、書きたい単語を予測して候補を表示してくれたりします。現時点では「英語・ドイツ語・スペイン語・オランダ語」のみ対応で、日本語は非対応ですが、うまく使えば作業時間を減らすことができるでしょう。

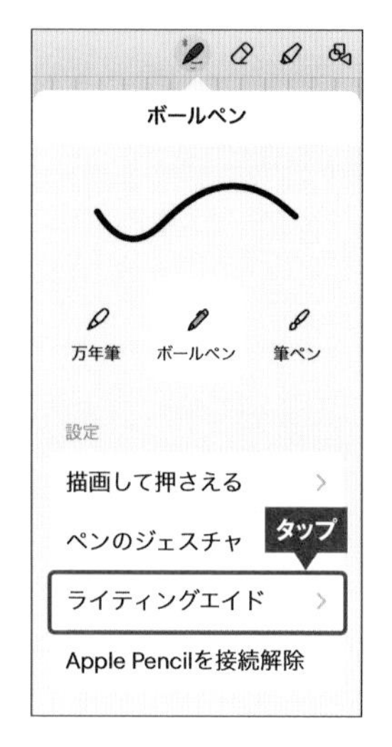

① ペンツールをタップして、メニューを表示します。下部にある「ライティングエイド」をタップします。

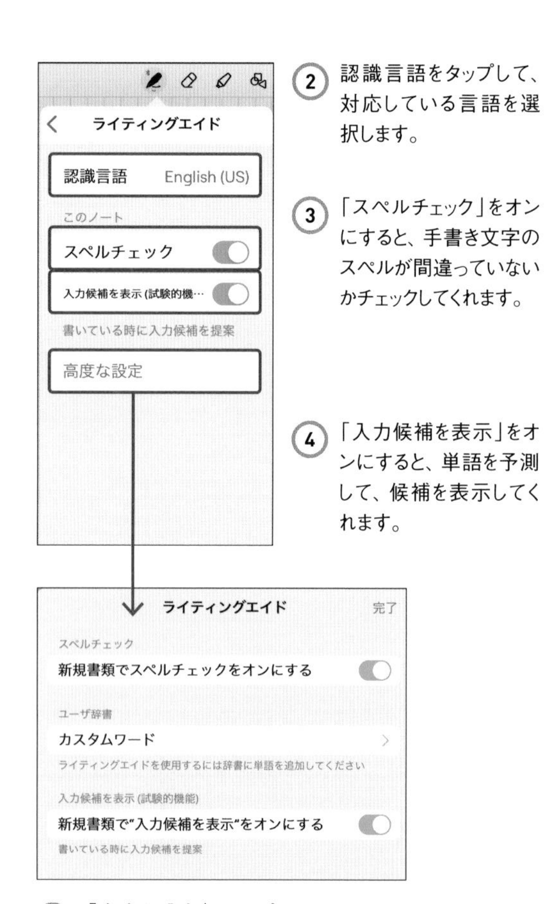

② 認識言語をタップして、対応している言語を選択します。

③ 「スペルチェック」をオンにすると、手書き文字のスペルが間違っていないかチェックしてくれます。

④ 「入力候補を表示」をオンにすると、単語を予測して、候補を表示してくれます。

⑤ 「高度な設定」をタップすると、さらに設定することができます。新規書類でも、「スペルチェック」や「入力候補を表示」をオンにすることができます。

入力候補を表示する

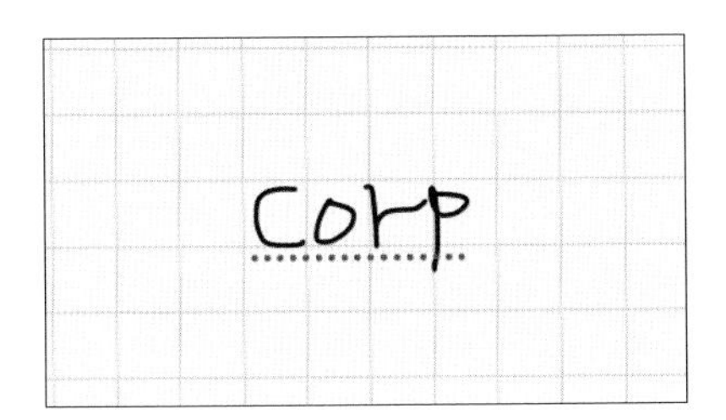

① 文字を手書きしていると、文字の下に赤い点線が表示されます。

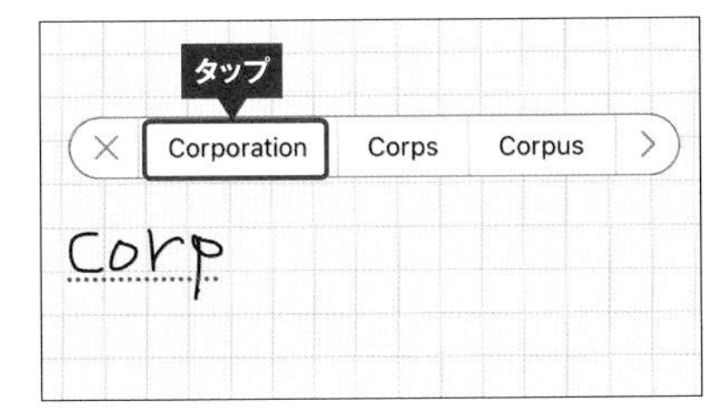

② 文字をタップすると、候補の文字が表示されます。

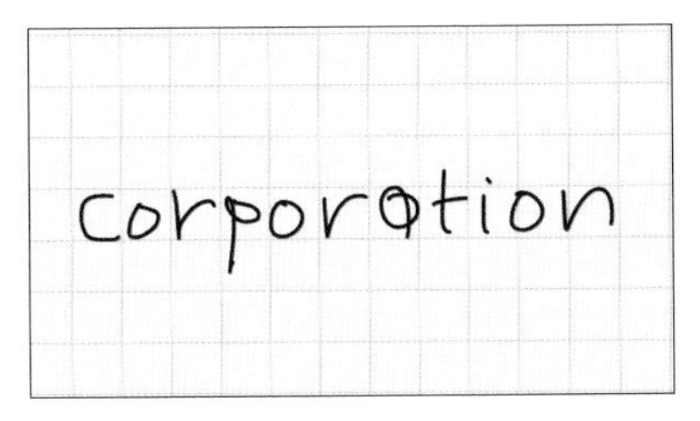

③ 候補のなかから単語をタップすると、手書きで修正されます。筆跡も近いものにしてくれます。

スペルチェックを活用する

① 文字を書いているときに、スペルを間違えると赤い点線が表示されます。

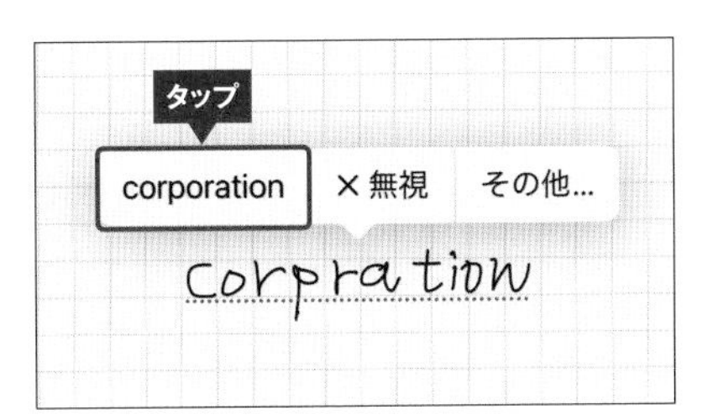

② 文字をタップすると、上に予測される正しい単語が表示されます。

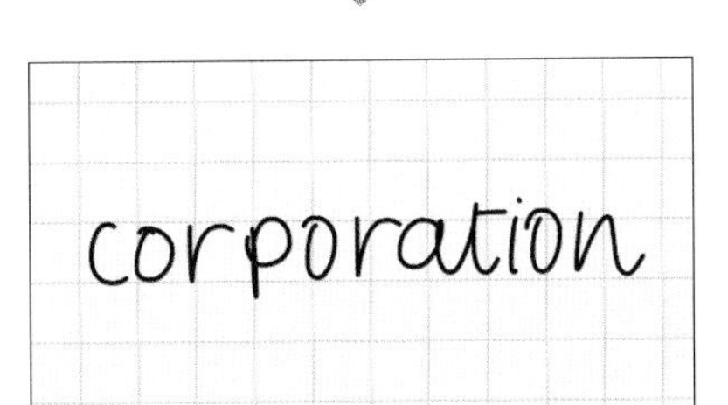

③ 表示をタップすると、正しく変換された手書きの文字が表示されます。

Technique 44 AIで文章を修正する

タイピングモード（103ページ参照）でタイプしたテキストをAIが添削してくれたり、文章を変換してくれる機能です。文法やスペルの修正のほか、語調を変更したり、文章の長さを変えてくれます。

1 ナビゲーションバーの「キーボード」アイコンをタップして、タイピングモードにします。

2 変換したいテキストをダブルタップして、選択すると、メニューが表示されます。「星」アイコンをタップします。

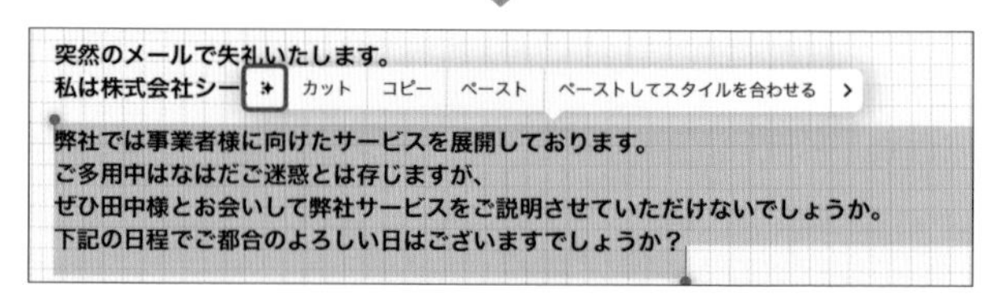

3 「確認と編集」メニューが表示されます。変更したい項目を選びタップします。

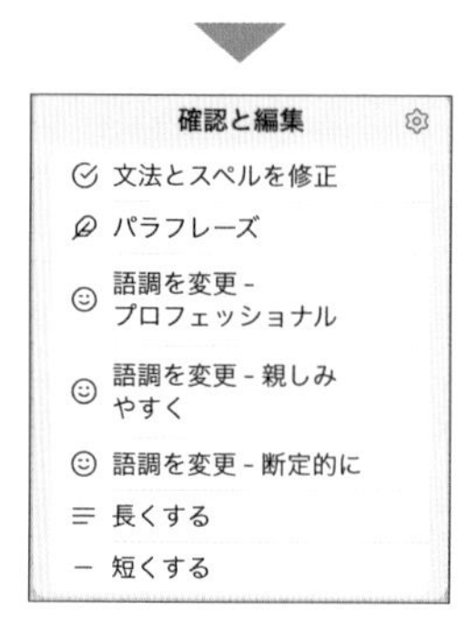

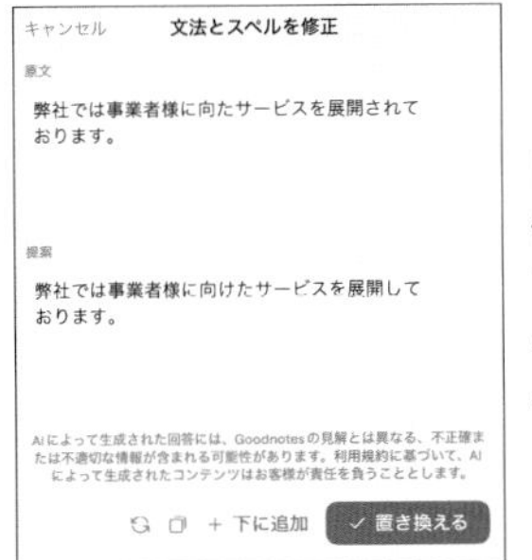

「文法とスペルを修正」は、間違っている文法やスペルを修正してくれます。

「パラフレーズ」は日本語から英語に変換してくれます。

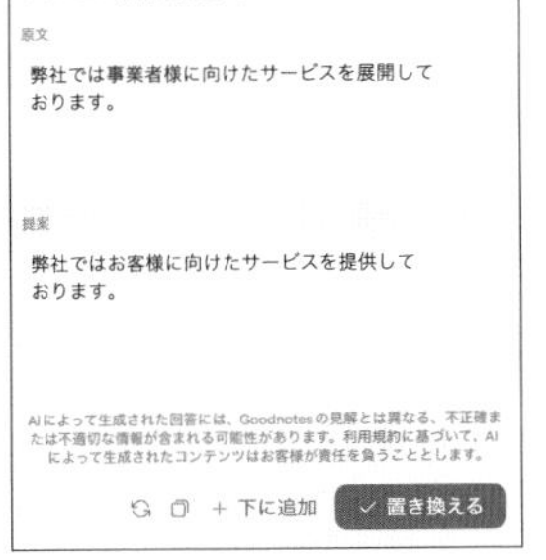

「語調を変更」は3種類あり、「プロ　フェッショナル」と「親しみやすく」はそれぞれ表現を言い換えてくれます。

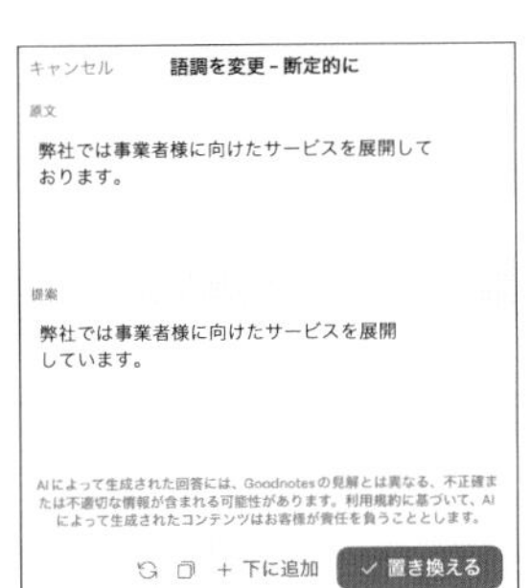

「語調を変更—断定的に」も、表現を断定的なものに言い換えてくれます。

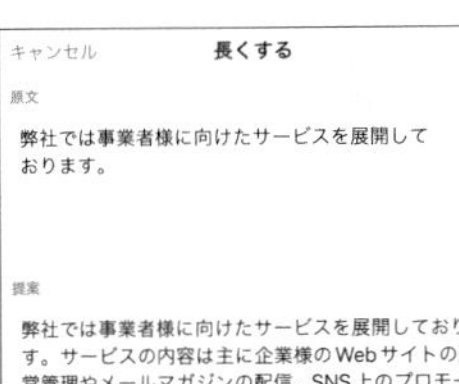

「長くする」「短くする」は、同じ内容のまま文章を長くしたり、短くしてくれます。

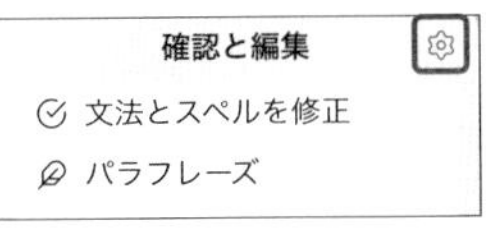

GoodnotesのAI機能は、まだ実験的な段階(2024年2月現在)です。期待通りに機能しない可能性があります。また、AI機能の使用には回数制限があります。歯車アイコンをタップすると、「AI割り当ての残り」を確認することができます。

Technique 45 インタラクティブ試験対策

インタラクティブ試験対策は、学生向けにリリースされた問題集機能で、インタラクティブに問題を解くことができます。AI数学アシスタントが、テキストを数式に変換してくれたり、計算を確認して、間違いを指摘してくれたりします。日本語には非対応(2024年2月現在)。

1 書類画面を開き、左側にあるナビゲーションバーのなかから「マーケットプレイス」をタップします。

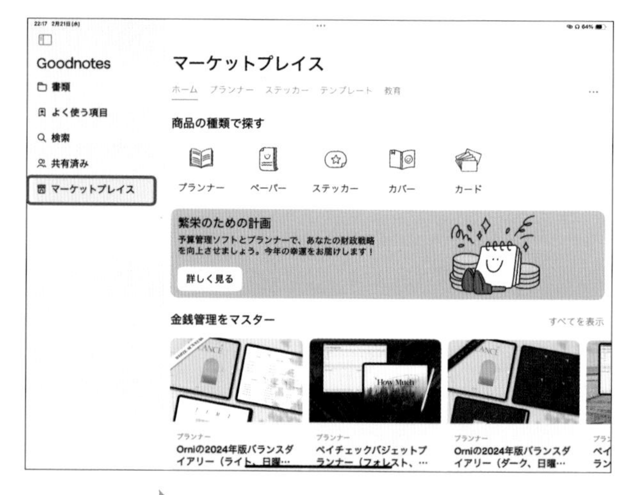

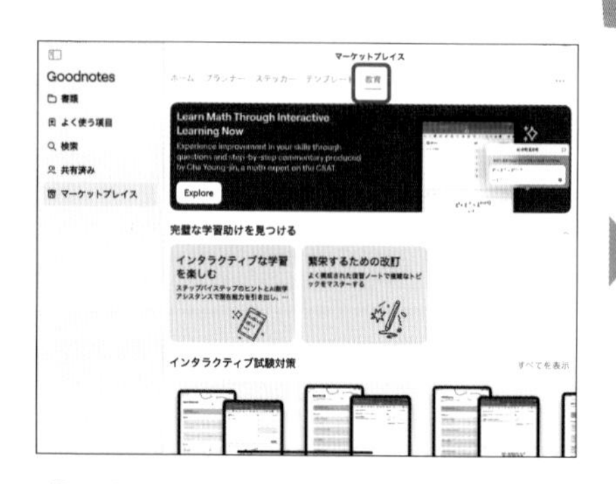

2 「教育」カテゴリーをタップすると、インタラクティブ試験対策のContentsをダウンロードできます。

3 ダウンロードしたい問題を選んだら、金額の部分をタップして購入します。

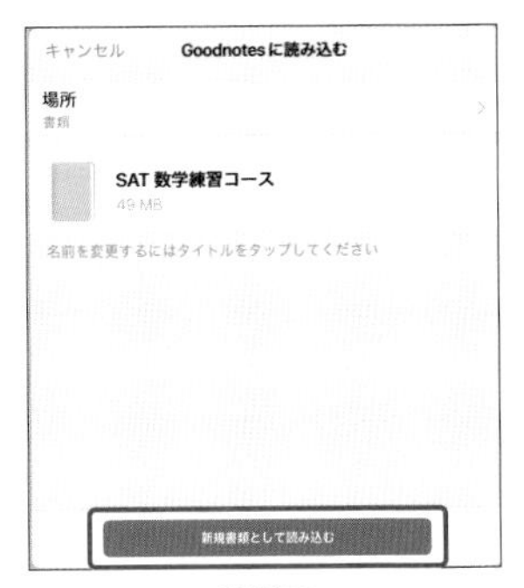

④ 「新規書類として読み込む」をタップすると、書類画面にノートがダウンロードされます。

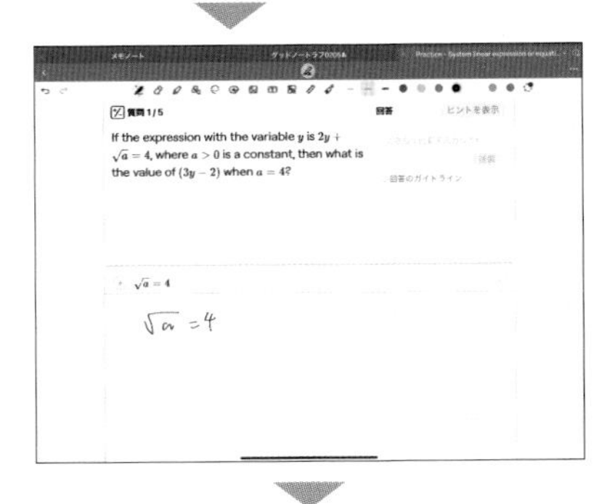

⑤ カテゴリごとに問題が分かれており、各カテゴリをタップすると、問題ページに移動します。勉強時間をカウントしてくれる機能もあります。

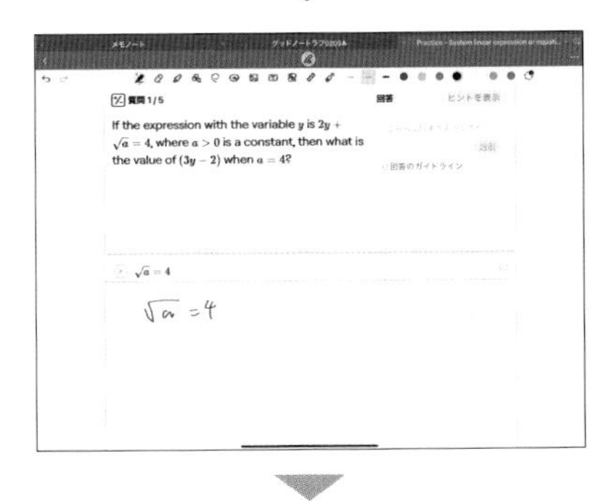

⑥ 上部に問題が表示されます。下部のノートに答えを手書きします。

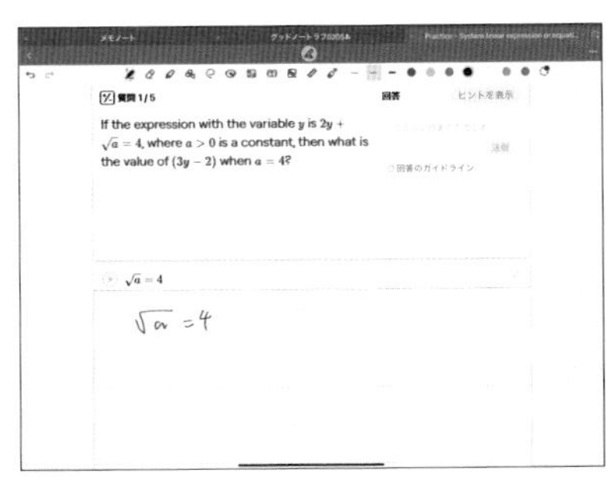

⑦ AI数学アシスタントが、テキストを数式に変換してくれたり、計算を確認して、間違いを指摘してくれたりします。

本書で紹介した Goodnotesマスターのみなさん

Part 1　五藤晴菜さん

iPadではたらく。引き出す。楽しめる。「iPad Worker」として、執筆、デザイン、イラスト、動画編集など、多岐にわたる仕事をiPadでこなすクリエイター。仕事だけでなく、子育てや生活、学習など、あらゆる場面で役立つiPadの活用アイデアを発信。iPadの魅力をより多くの人に伝えるため、ニュースレターやYouTubeチャンネルの運営、各地でiPadセミナーを開催するなど、幅広い活動を展開。著書に『はたらくiPad』(インプレス)、『iPadの引き出し』(SBクリエイティブ)など。

【X(旧Twitter)】@haruna1221
【Instagram】@haruna1221

【YouTube】
ごりゅごcast
https://www.youtube.com/c/goryugocast

Part 2　YMKさん

YMK / i Padで生活を少し豊かに
社会人として働く傍ら副業としてYouTubeを運営しつつも、iPadで勉強を効率化し、TOEIC930、英検準一級、宅建、外務員、AWSなど10以上の資格に合格。登録者17万人のYouTubeでは勉強や仕事の効率化を実現するiPad活用法を投稿しています。

【YouTube】
YMK / i Padで生活を少し豊かに
https://www.youtube.com/channel/UC9D8vopYTSvGIdzyH6e_3oA

【LINE公式アカウント】
https://line.me/ti/p/%40479zzolx

Part 3　Theオトウサンノヒミツキチさん

KEI. 1984年生まれの2児の父/表現家。
人生の点と点を繋ぐお手伝いが得意。YouTubeでは主に紙を使った思考整理方法を、Voicyでは暮らしが変わる考え方を発信中。

【YouTube】
THE オトウサンノヒミツキチ / お父さんの秘密基地
https://www.youtube.com/@thedadsecretbase

【X(旧Twitter)】@dadsecretbase
【Voicy】https://voicy.jp/channel/4010
【HP】https://dadsecretbase.com/

Part 4　谷 益美さん

株式会社ONDO代表取締役。1974年香川県生まれ香川大学卒業。建材商社営業職、IT企業営業職を経て2005年独立。早稲田大学ビジネススクール非常勤講師。専門はビジネスコーチング及びファシリテーション。研修や対話の場づくりなど、年間約300本の実践的学びの場作りを行う。2015年及び2019年、優れた講義に贈られる「早稲田大学Teaching Award」受賞。

【YouTube】
https://www.youtube.com/@tanimasumi

【X(旧Twitter)】@office_123
【HP】株式会社ONDO
https://www.ondo.company/

Part5　浅井貴仁さん

編集者・ライター
ヱディットリアル株式會社代表取締役社長
1980年生まれ。千葉県出身。明治学院大学文学部心理学科卒業。フリーランスの編集者・ライターとして多数の書籍、雑誌の制作に携わる。2018年にヱディットリアル株式會社を設立。ライターとして『CONTINUESPECIAL PCエンジン』(太田出版、共著)などの著書がある。

【X(旧Twitter)】@edit_rea

【HP】ヱディットリアル株式會社
https://asaieditor.wixsite.com/asa-e

Staff

[カバー・本文デザイン] 滝本理恵(pasto)

[DTP] 浅野悠(株式会社Two half labo.)、風間佳子

[執筆協力] 五藤晴菜/YMK/THE オトウサンノヒミツキチ/
谷 益美/浅井貴仁(ヱディットリアル株式會社)

ビジネスパーソンのための Goodnotes 使いこなしブック

2024年4月1日 初版第1刷発行

[編 者] Goodnotes 使いこなしブック編集部
[発行人] 廣瀬和二
[発行所] 株式会社日東書院本社
〒113-0033 東京都文京区本郷1-33-13 春日町ビル5F
TEL:03-5931-5930(代表)
FAX:03-6386-3087(販売部)
URL:http://www.TG-NET.co.jp

[印刷] 三共グラフィック株式会社
[製本] 株式会社セイコーバインダリー

ISBN978-4-528-02451-9 C0070